Schutzlose Räume

Umschlagsfoto:

„Abbruchhaus“

(Erwin de Buhr, 2021)

Schutzlose Räume

Lina Eichhorn ermittelt in Emden

Kriminalroman von Marion Scheer

2024

Impressum:

Bibliografische Information der Deutschen Nationalbibliothek: Die Deutsche Nationalbibliothek verzeichnet diese Publikation in der Deutschen Nationalbibliografie; detaillierte bibliografische Daten sind im Internet über dnb.dnb.de abrufbar.

© 2024 Marion Scheer

Herstellung und Verlag:
BoD – Books on Demand, Norderstedt
ISBN: 9 783758 3881 18

Kapitelübersicht:

1. Rituale

Jonas würgte mit schmerzverzerrtem Gesicht an einem schleimigen Kloß, der drohte ihm den Atem zu nehmen. Wenn ihm jetzt auch noch Tränen in die Augen träten, hätte er keine Chance mehr sein Gesicht zu wahren.

Schließlich und endlich war er der Ältere von ihnen beiden. Was sollte Hacke von ihm denken? Sie waren Blutsbrüder und als solche einander auf Leben und Tod verbündet, egal was geschah. Hacke hatte ihn nach langer, langer Zeit der Prüfung für würdig befunden, den Pakt mit ihm zu schließen. Nun würde Jonas nicht bei der erstbesten Gelegenheit den Schwanz zwischen die Beine kneifen und flennen wie ein Mädchen.

Sie waren Männer, echte Macher!

Hacke hatte ihm klar gemacht, dass in anderen Kulturen Jungen mit dreizehn schon zu Männern erklärt und als Erwachsene behandelt wurden. Sie übernahmen Verantwortung für die Ernährung der Familie und natürlich deren Verteidigung. Sie trugen Waffen, gefährliche tödliche Waffen, und sie scheuten sich nicht diese gegen den Feind einzusetzen. Er hatte ihm im Internet verstörende Bilder von ganzen Horden waffenstrotzender Kinder gezeigt, die teilweise sogar noch jünger wirkten. Er hatte sich gewundert, dass diese Zwerge die schweren Waffen überhaupt tragen konnten. Aber es war immerhin der Beweis, dass Hacke ihm keinen Scheiß erzählt hatte. Und auch wenn sein Gefühl ihm sagte, dass mit diesen fremden Kulturen irgendetwas nicht stimmen könne - Hacke war soviel klüger als er. Er musste das schließlich wissen. Er sprach fließend Englisch und Französisch, wo hingegen Jonas bereits zweimal die Versetzung verpatzt hatte.

Sie besuchten auch nicht dieselbe Schule. Während Jonas auf der IGS die Kurse mit den geringsten Anforderungen nur mit Mühe absolvierte, meisterte Hacke das Gymnasium ohne irgendeine Anstrengung. Er hatte nebenbei noch reichlich Zeit, sich mit Nachhilfe ein beachtliches Taschengeld zu verdienen.

Seltsamerweise waren sie sich damals in der vierten Grundschulklasse nähergekommen. Jonas der Sitzenbleiber und Hacke der Überflieger, neu zugezogen aus Nordrheinwestfalen. Der Neue hatte es anfangs schwer gehabt in ihrer Klasse. Er war körperlich klein und schwächlich gewesen, ein Spätentwickler. Jonas dagegen war älter als die anderen und profitierte von den Genen seines Vaters. Er schoss ins Fleisch, wie seine Oma ganz stolz bei jeder sich bietenden Gelegenheit verkündete.

Aus „Geist“ und „Fleisch“ hatte sich dann nach und nach ein bizarres Wesen mit zwei Körpern entwickelt, das letztendlich eine blutsbrüderliche Symbiose bildete, die inzwischen niemand zu stören wagte.

Jonas hatte die feuchten Augen hypnotisch auf das seltsame Geschehen gerichtet. Schon dieses verfallene alte Gemäuer mit den teils gefährlich herabhängenden Deckenbalken konnte ihm einen Schauer über den Rücken jagen.

Er ging niemals einem *Beet* aus dem Weg und hatte körperlich noch selten den Kürzeren gezogen. Ja, manchmal versuchte ihn jemand hinterhältig aufs Glatteis zu führen oder zu verarschen. Dann zeigte er ihm nur seine mächtige Faust, und das sorgte für Ruhe. Allerdings jagte die Art, wie Hacke die Dinge regelte, ihm oft eine Gänsehaut über den schwammigen Körper.

In der Mitte des Raumes loderte ein Lagerfeuer. Der Rauch hatte in dem verfallenen Gebäude keine Schwierigkeiten einen Weg nach draußen zu finden. Allerdings brannte er Jonas trotzdem in den Augen.

Sie waren beide ganz in Schwarz gekleidet und trugen Sturmmasken, die nur die Augen freiließen. Hacke - eigentlich hieß er Daniel Hackenbruch, aber er hasste diesen Namen wie die Pest - hatte aus einer Tüte ein rotes Pulver in Form eines fünfzackigen Sterns um die Feuerstelle gestreut. Nun ergriff er den zappelnden Sack und entnahm ihm das weiße Huhn, das Jonas auftragsgemäß bei Bauer Wübbens „besorgt“ hatte, ohne irgendjemanden um Erlaubnis zu bitten.

Das Tierchen zappelte und gackerte verzweifelt, als Hacke es brutal bei den Füßen packte und immer wieder über das Feuer schwenkte. Er trug diesen entrückten Ausdruck in den Augen, den Jonas schon bei einigen anderen verstörenden Gelegenheiten an ihm beobachtet hatte. Dann begann er in einer fremden Sprache irgendwelchen Singsang von sich zu geben. Bis Jonas schon ungeduldig von einem Fuß auf den anderen trat.

Warum mussten sie sich wieder mal die halbe Nacht an irgendeinem gruseligen Ort um die Ohren schlagen? Er hätte lieber auf der Couch vor seinem Fernseher *gechillt* und Gin-Cola geschlürft. Oder es gefiel ihm noch viel besser, wenn sie irgendwelche Frauen und Mädchen aus der Nachbarschaft heimlich durch die Fenster beobachteten und sich dabei einen runterholten.

Jetzt bückte sich Hacke nach dem Samurai-Schwert, das er unbemerkt aus der Waffensammlung seines Vaters „ausgeliehen" hatte. Jonas klangen noch die Ohren von dem langen Vortrag, den der Blutsbruder ihm auf dem Weg zu dem verfallenen Gehöft gehalten hatte. Nur die Hälfte von dem Gerede über die Geschichte der Samurai und deren Kampfkunst hatte er überhaupt verstanden. Und wirklich erinnern konnte er sich inzwischen nur daran, dass die Schwerter extrem scharf und gefährlich waren. Diese Kämpfer brachten sich angeblich selbst damit um, wenn sie keinen Ausweg aus einer Bredouille sahen. Seltsame ausländische Sitten gab es!

Nun betrachtete Jonas die Waffe genauer. Hacke ließ sie mehrmals in seiner Hand kreisen und durch den Feuerschein schwingen, ähnlich wie vorher das zappelnde Hühnchen, das nun in der anderen Hand kopfüber an seiner linken Seite baumelte. Die blanke Klinge spielte mit dem warmen Licht der hell lodernden Flammen in aufreizenden Reflexen. Jonas konnte seine Augen nicht abwenden und hatte mit einem Mal den Kloß im Hals vollkommen vergessen.

Noch zwei, drei fast tänzerische Einlagen des schwarzen drahtigen Jungen, dann ein markerschütternder Schrei, und Hacke schlug dem Huhn mit einem unvermittelten Streich den Kopf ab. Zischend landete der in den Flammen. Den Körper der Huhns schleuderte der Junge gekonnt in eine Ecke. Dort hetzte das blutbesudelte Tierchen noch eine Weile im Kreis herum, als wüsste es nicht, dass es tot war, bis das Blut aus seiner Wunde zu sprudeln aufhörte und es endlich liegen blieb.

Jonas stand stumm da. Er war gleichermaßen erregt wie schockiert. Gelähmt beobachtete er seinen Freund, der zu dem Kadaver trat, ihn lässig mit der Schuhspitze antippte und sich dann ganz entspannt zu ihm umdrehte.

„Hey, Jonas, pack das elende Viech und schmeiß es ins Feuer. Wir wollen es brennen sehen!“, kommandierte er. Jonas erweckte den Anschein einer Marionette, als er seine massigen steifen Glieder in Bewegung setzte und wortlos gehorchte. Die Federn verbrannten mit einem beißenden Gestank, den er nie vergessen würde.

Nach diesem verstörenden Erlebnis sahen sich die beiden Jungen eine Weile nicht. Hacke fuhr mit seinem Vater auf die Jagdhütte nach Bayern. Dort verbrachten die Hackenbruchs regelmäßig einen Teil der Sommerferien in der Natur, mit dem Hobby des Alten und endlosen Wanderungen beschäftigt.

Jonas Eltern hingegen waren arbeitsam aber nicht sehr betucht. Er konnte sich nur an eine einzige gemeinsame Urlaubswoche auf Malle erinnern, und da hatten sie auch noch Regenwetter gehabt. Nun dummte er in seinen Sommerferien herum, ohne die notwendigen Schulaufgaben nachzuarbeiten (was wegen der Corona-Pandemie angeblich besonders wichtig gewesen wäre) oder sonst einer sinnvollen Beschäftigung nachzugehen.

Sein Vater hatte ihn schon mehrfach missmutig darauf hingewiesen, dass er selbst bereits mit sechzehn Jahren auf dem Bau angefangen hatte, sein eigenes Geld zu verdienen. Aber die Mutter, als Bäckereiverkäuferin keiner Überstunde abgeneigt, nahm ihn immer wieder in Schutz.

Sie drückte ihm regelmäßig einen dicken Schmatzer auf die Wange, wenn sie ihn beim Heimkommen auf dem Sofa vor dem Fernseher antraf. Dann zwickte sie ihn spielerisch mit Daumen und Zeigefinger in die Nase und meinte: „Du sollst es mal besser haben, als Papa und Mama. Aus dir soll ein richtig feiner Herr werden, vor dem sie alle Respekt haben!“ Anschließend wandte sich die kleine pummlige Frau der Küche zu, wo sie sich leise trällernd eine bunte Schürze umband und in Windeseile etwas Essbares zusammenbraute.

So schlichen seine kostbaren Ferientage dahin – einer so öde wie der andere.

Schließlich war Jonas sehr erleichtert, vielleicht sogar freudig erregt, als Hacke ihm auf dem Handy mitteilte, dass er wieder in Emden zurück sei und ihn treffen wollte.

Wir sehen uns um 22 Uhr am Treffpunkt in üblicher Montur, schrieb er. Jonas antwortete, wie meistens mit: *OK.* Dabei konnte er wenigstens keine Rechtschreibfehler machen, die ihm der andrere sonst tagelang vorhielt. Er hatte schon mal auf Hackes Anordnung eine ganze Seite mit dem Satz: *Ich kann leider nicht kommen, weil ich helfen soll*, fehlerfrei abschreiben müssen.

Als ob das nun so wichtig wäre, dass ein Wort groß, klein oder mit zwei n, m oder l geschrieben wurde. Hauptsache war für ihn, man verstand, was gemeint war. Und das zumindest hatte er genau verstanden: Er sollte um 22 Uhr an der Bushaltestelle sein und die schwarze Verkleidung tragen.

Was mochte Hacke diesmal geplant haben?

2. Jule

Jule entdeckte endlich die Abbruchbude, von der Anton ihr vorgeschwärmt hatte. Beinahe hätte sie vorzeitig aufgegeben, um sich einfach erschöpft in irgendeine halbwegs geschützte Ecke am Rand des nicht enden wollenden Weges zu kuscheln. Sie war sogar an einer ganz passablen überdachten Bushaltestelle vorbeigekommen. Solche Wartehäuschen schätzte sie gewöhnlich als gute Quartiere. Sie schützten vor Wind und Wetter, waren nachts verlassen, befanden sich aber trotzdem an öffentlichen Orten. Wer Böses plante, musste mit unerwünschten Zeugen rechnen.

Aber es war noch zu hell gewesen, um ungestört pennen zu können. Inzwischen wirkten die Straßen bereits wie ausgestorben. Das liebte sie an den ländlichen Gegenden. Manchmal führte jemand abends einen Hund Gassi, aber sonst blieb es meistens ruhig und friedlich.

Sie hievte den großen Einkaufstrolli durch die Türöffnung. Im warmen Licht der untergehenden Sonne wirkte das Gebäude, trotz des desolaten Zustandes, auf sie heimelig. Es roch ein wenig feucht aber auch nach dem reifen Duft des Spätsommers auf dem Land. Darunter mischte sich eine Spur Holzfeueraroma. In ihr stiegen Bilder auf von unbeschwerten warmen Grillabenden, die ihrem früheren Leben angehörten. Bevor sie jedoch in sentimentale Stimmung abrutschen konnte, wischte sie diese innerlich beiseite.

Immerhin besser als die verlausten stinkenden Nachtquartiere, die uns Obdachlosen hier und da zur Verfügung stehen. Ich brauche frische Luft, dachte sie seufzend. Außerdem hatte sie in Gruppenunterkünften schon üble Erfahrungen gemacht. Dass man beklaut wurde, war noch das geringste. Bevor sie vor Jahren auf der Straße gelandet war, hätte sie niemals geglaubt, dass eine nicht besonders gepflegte ältere Frau sich sogar vor sexuellen Übergriffen fürchten musste.

Sie schaute sich in der Schummerigkeit des großen Raumes um, der wohl mal eine gemütliche Stube beherbergt hatte. Nun waren die Fenster zersplittert, die roten Fußbodenfliesen teilweise geborsten. Von den Wänden blätterte der Putz mitsamt einer altmodischen Blümchentapete, die ihn hier und da noch krampfhaft zusammenhielt, und die Deckenbalken hingen an einer Seite nicht gerade Vertrauen erweckend herab.

Im schwindenden Tageslicht suchte Jule sich eine trockene Ecke aus, stellte den Trolli ab, entrollte die dicke Isoliermatte und warf den Rucksack mit einer Geschmeidigkeit von sich, die ihr niemand zugetraut hätte. Sie kramte eine kleine Weile darin herum, bis sie ein Feuerzeug in der Hand hielt. Damit wandte sie sich der Feuerstelle zu, die irgendein Vorgänger in der Mitte des Raumes angelegt hatte.

Es lagerte genug trockenes Holz in einer Ecke, das hatte ihr Anton auch noch gesteckt, bevor er die Pulle leerte und nur noch unverständlich lallen konnte. Ja, der leidige Alkohol! Es lebten wenige auf der Straße, die ihm nicht verfallen waren. Er war die billigste Droge, die alles für den Moment erträglicher erscheinen ließ.

Sie selbst war inzwischen davon weg. Ohne Hilfe hatte sie das jedoch auch nicht geschafft. Noch heute war sie den Freunden dankbar, die sie aus der Scheiße gezogen hatten. Ja, wirklich herzensgute Menschen traf man überall da, wo sie keiner vermutete!

Inzwischen knisterte ein kleines gemütliches Feuer im Raum und ließ ihn wohnlich erscheinen. Jule öffnete eine Dose mit Eintopf und stellte sie einfach in die Flammen. Es würde warmes Abendessen geben – ein wahrer Luxus!

Während sich der Inhalt der Dose erhitzte, machte sich die Alte ein gemütliches Lager zurecht aus allem, was sie so bei sich führte. Die wenigen Wertsachen und ihre Papiere packte sie unter die Matte, dort waren sie am besten geschützt. Auch wenn der Ort vollkommen menschenleer und sehr friedlich wirkte, verlor sie nie ihre schmerzhaft erworbene Vorsicht.

Was war sie für ein naives Hühnchen gewesen, als ihr Lebensgefährte vor vielen Jahren an einem plötzlichen Herztod verstarb! Seine Kinder aus erster Ehe hatten die Beerdigung nicht einmal abgewartet, sondern sie gleich aus dem Haus geworfen. Sie hatte mit ihrer Trauer zu kämpfen gehabt und sich deshalb nicht einmal dagegen gewehrt, dass sie ohne ihre liebsten Sachen - nur mit einem einzigen Koffer - ihr behütetes bürgerliches Zuhause verlassen musste.

Zunächst gab es ein paar Verwandte und auch zwei Freundinnen aus besseren Tagen, die sie für eine Weile bei sich wohnen ließen. Aber ihre Traurigkeit wollte einfach nicht nachlassen. So hatte sie nicht den Mut gefunden, sich eine Arbeitsstelle und eine kleine eigene Wohnung zu suchen. Wie lange machen Verwandte und Freunde so etwas mit, bis sie einen nur noch loswerden wollen?

Es war unabdingbar, dass sie schließlich auf der Straße landete. Dort hatte sie viele Menschen mit ähnlichen Schicksalen getroffen. Aber nur wenige wurden zu Freunden. Auf der Straße herrschte ein anderer Ton und meistens das Recht des Stärkeren. Die Gefühle, welche hier aufeinanderprallten, waren ursprünglicher und ungefiltert von den üblichen Konventionen. Das galt für die positiven Emotionen genauso wie für die negativen. Da hatte Jule viel einstecken und unter schwierigsten Umständen die härtesten Tatsachen lernen müssen.

Sie holte den Eintopf mit einem dicken ausgefransten Lappen geschickt aus der Feuerstelle, stellte ihn auf den Fußboden und rührte mit einem Esslöffel langsam und sorgfältig um. Vorsichtig führte sie den Löffel dann zum Mund und kostete begeistert, während ein Strahlen in ihre alten Augen trat.

„Hm, Labskaus!“

Für eine kleine Weile waren Not und Elend vergessen. Sie füllte ihren knurrenden Magen konzentriert und überaus dankbar mit der warmen appetitlich duftenden Mahlzeit.

Dieser Sommer hatte leider nicht gehalten, was sich jeder von der schönen Jahreszeit verspricht. Es war sehr wechselhaftes oft regnerisches Wetter gewesen. Das machte das Leben auf der Straße nicht angenehmer. Sonst liebte sie es ab Mai in die kleinen beschaulichen Orte an der Nordseeküste abzuwandern. Die Menschen waren hier in Urlaubsstimmung und zeigten sich großzügig. Auch für Jule waren das dann irgendwie entspannte Urlaubswochen. Sie liebte das Meer und hatte schon unzählige Male in warmen Nächten am Strand geschlafen. Außerdem gab es überall Milchwirtschaft. Die Bäuerinnen erlebte sie durchweg als herzlich und großzügig, wenn sie um ein Glas Milch gebeten hatte.

Der Sommer, der gerade zur Neige ging, hatte sie aber enttäuscht. Zum einen diese blöde Viruserkrankung, wodurch die Leute auf Abstand blieben und nur noch mit Gesichtsmasken herumliefen, weil sie sich vor Ansteckung fürchteten. Und dann noch dieser dauernde Regen, der ihre Klamotten beinahe vor Feuchtigkeit verschimmeln ließ. Deshalb schlug sie sich nun bereits eine Weile in Emden durch. Bei schlechtem Wetter waren Städte besser geeignet. Hier gab es wenigstens einige brauchbare Hilfsangebote.

Während sie sich den Mund mit dem Handrücken abwischte, dankbar rülpste und die leere Dose in Richtung Feuerstelle kickte, fasste sie den Entschluss, schon am nächsten Tag in Richtung Leer zurückzuwandern. Dort würde sie bei ihrer Schwester, die Anfang des Jahres Witwe geworden war, die kalte Jahreszeit zubringen dürfen. Das war ein besonderes Privileg, das ihr Herz erwärmte. Satt und entspannt, unter einem schützenden Berg von alten Textilien geborgen, dämmerte sie hinüber in das Reich der Träume.

3. Blut und Feuer

Jonas lungerte schon eine ganze Weile an der menschenleeren Bushaltestelle in Hilmarsum herum, als er seinen Freund von weitem kommen sah. Er schien einen Hund an der Leine zu führen. Das konnte keinesfalls der furchterregende Jagdhund sein, den Dr. Hackenbruch abgerichtet hatte und dem der Junge mit großem Respekt lieber aus dem Weg ging.

Als Hacke in den Schein der Straßenlaterne trat, nahm sein Freund einen kleinen Yorkshire in Augenschein, der an seiner Leine zitterte, obwohl es ein recht angenehmer und ausnahmsweise trockener Spätsommerabend war.

„Das soll ja wohl erst mal ein Hund werden, wie?“ Jonas lachte schallend und hielt sich den fetten Bauch. Aber sein Blutsbruder warf ihm nur einen kurzen eisigen Blick zu, um das blöde Gelächter im Keim zu ersticken.

„Ist mir sozusagen zugelaufen, die Ratte. Das kommt uns natürlich sehr gelegen.“ Er blinzelte vielsagend und schlug mit der flachen Hand auf das Schwert, welches in einer Scheide an seiner Schulter baumelte. Dann wechselte er sofort das

Thema, erzählte von seinem Urlaub, wobei er sich wie immer über den strengen Vater und die endlosen Wandertouren beklagte. Anschließend fragte er leutselig, wie es Jonas so ergangen sei.

Natürlich war Zuhause in Emden nichts Weltbewegendes abgegangen. Aber Jonas hätte sowieso nicht unbefangen erzählen können. Er sah nun schattenhaft das verfallene Haus vor sich, dem sie mit jedem ihrer Schritte auf dem einsamen Weg zustrebten. Zwischendurch blickte er immer wieder auf den kleinen Hund, der sich, als habe er eine böse Vorahnung, an der Leine störrisch hinterher ziehen ließ.

Sein Magen begann zu rebellieren. Würde er das blutige Ritual in gesteigerter Form noch einmal durchstehen? Er räusperte sich laut und vernehmlich. Ein Spuckklecks landete in einem Bogen seitlich im Gras.

„Benimm dich Jonas Fokken! Du bist hier nicht auf dem Fußballplatz. Wir sind keine Proleten", schimpfte Hacke, als sei er sein eigener Vater, der strenge Dr. Hackenbruch seines Zeichens Hals-Nasen-Ohrenarzt.

Jonas verstand nicht wirklich, was er meinte, hielt sich aber mit dem Spucken zurück und versuchte gegen das Unwohlsein anzuschlucken.

Das alte Gemäuer war bald erreicht. Es gab keine Möglichkeit mehr, zu entkommen. Er schickte sich innerlich in das Unvermeidliche.

Plötzlich hielt Hacke inne. Er lüpfte die Sturmhaube und streckte die Nase witternd in den Wind.

„Riechst du das? Da scheint jemand unser Feuer angezündet zu haben." Der hochaufgeschossene drahtige Junge legte seinen Zeigefinger auf die Lippen und sah Jonas bedeutungsvoll an. Dann zupfte er die schwarze Haube wieder zurecht und schlich langsam zum kaputten Fenster des Gebäudes.

Die beiden schwarzen Gestalten lugten argwöhnisch durch die total verschmutzten gesplitterten Scheiben. Sie sahen das nur noch schwach kokelnde Feuer, unweit davon, im milden Schimmern der Glut, einen Haufen, der aus Altkleidern zu bestehen schien. Keine Menschenseele war zu entdecken.

Hacke fasste seinen Freund mit erstaunlicher Kraft am Handgelenk und zog ihn ohne einen einzigen Laut hinter sich her zur schwarzen Öffnung der ausgebrochenen Eingangstür, die seither schräg an der Wand lehnte. Der Yorkshire, Witterung aufnehmend, zog nun ungeduldig an der Leine, um ins Innere zu gelangen. Die beiden Blutsbrüder schlichen vorsichtig in den Raum mit dem leise knisternden Feuer.

Da riss sich das Hündchen unvermittelt los, jagte auf den Wäscheberg zu und begann mit einer lauten Stimme zu kläffen, die ihm keiner zugetraut hätte. Jonas stand noch immer verwirrt in der Tür, während Hacke das blanke Samurai-Schwert mit beiden Händen fasste, um sich notfalls dem Teufel und seiner Armee entgegen zu stellen.

Bewegung kam in die bunten Lumpen. Ein struwweliger grauer Kopf erhob sich. Dann starrten die beiden in ein verwittertes Gesicht mit zwei schlaftrunken um sich blickenden wasserblauen Augen.

Das Hündchen sprang auf den Kleiderberg und kläffte, als gelte es sein Leben. Die Alte stimmte sofort mit einem grellen langgezogenen Schrei ein. Es klang zum Gotterbarmen schrecklich, als haben sich die Pforten der Hölle geöffnet.

Jonas nahm wie in einem Traum wahr, dass das blanke Metall plötzlich im Feuerschein glänzte, als Hacke einen Ausfallschritt machte. Ohne zu zögern holte er mit beiden Händen zu einem gewaltigen Schlag aus, der das graue Haupt mit einem unvergleichlich ekelerregenden Geräusch scheinbar mühelos vom Rumpf trennte.

Stille!

Blut spritzte wie eine Fontäne an die ausgeblichene Blümchentapete, auf den Berg von alten Klamotten und sogar bis zu Hacke. Jedoch schluckte die schwarze Kleidung die Flüssigkeit ohne sichtbare Spuren. Vom blanken Schwert triefte hingegen der rote Lebenssaft in mehreren Rinnsalen anklagend herab. Der jugendliche Täter ließ es für diesen Moment auf die Fliesen sinken, als sei es ihm zu schwer geworden. Mit einem seltsam entrückten Gesichtsausdruck wanderte sein Blick über das Schlachtfeld, welches er im Bruchteil einer Sekunde heraufbeschworen hatte.

Jules Kopf war seitlich herab gestürzt und ein Stück in Richtung des Feuers gerollt. Jonas starrte entsetzt in die gebrochenen Augen unter dem wirren blutbesudelten Haarschopf. Die Zunge steckte zwischen den lückenhaften Schneidezähnen fest, und aus dem durchtrennten Hals quoll es dunkelrot hervor. Der Junge würgte und übergab sich schmerzhaft in eine Ecke des Raumes, dann begann er hemmungslos zu schluchzen.

„Was hast du getan? Oh, was hast du nur gemacht?“ Stotterte er und sank in die Knie, weil die zitternden Beine seinen massigen Körper nicht mehr tragen wollten.

„Ist doch besser, als der elende mickrige Köter, findest du nicht? Das war echt *wyld*, sag ich dir! Da kommt nichts ran, was ich bisher erlebt hab. Das ist wie auf *Dop* - nur noch geiler.“ Hacke beachtete seinen zusammengesunkenen Freund überhaupt nicht. Er wirkte so, als führe er ein Selbstgespräch.

Zögernd hob er das Schwert vom Boden auf, wog es eine Weile ehrfürchtig in den Händen, als wolle er es begutachten, dann ergriff er ein ihm am nächsten liegendes Kleidungsstück und begann damit das Blut sorgsam, fast liebevoll von der Klinge zu wischen.

Jonas rieb sich derweil die Tränen aus den Augen und beobachtete erstaunt, dass Hacke ganz unberührt von dem grausigen Geschehen penibel seinem Sauberkeitsfimmel frönte.

Sein erster vernünftiger Gedanke galt dem kleinen Hund, der inzwischen kläffend das Weite gesucht hatte und noch einmal mit dem Leben davon gekommen war.

Aber was sollte nun werden? Hacke hatte die alte Pennerin getötet. Das würde ein Nachspiel haben. Das war Mord. Dafür ging man in den *Bau*. Und er selbst hatte tatenlos dabei zugesehen!

„Was machen wir nur? Verflucht, was sollen wir jetzt nur tun?“, jammerte der Fleischberg und begann wieder zu wimmern.

„Hey, ich dachte du bist ein Macher? Dann flenne gefälligst nicht, wie so‘n albernes *Girlie*!“ Hacke hatte sich mit dem blanken Schwert in der Hand ein, zwei Schritte auf Jonas zu bewegt. Der hob erschreckt den Kopf von den Knien und hörte sofort mit dem Heulen auf.

„Na also, geht doch! Und nun überlegen wir wie zwei erwachsene Männer, was am besten zu tun ist.“ Er schob mit äußerster Entschlossenheit die scharfe Waffe zurück in die Scheide und hockte sich dann im Schneidersitz neben das Feuer, um nachzudenken.

Jonas beobachtete den Freund mit unverhohlener Bewunderung. Er wusste zwar nicht, was ein Samurai genau war und schon gar nicht, wie einer aussah, aber gewiss war Hacke diesen legendären Kämpfern ebenbürtig.

Er hatte nach der Grundschule mit japanischem Kampfsport angefangen. Dr. Hackenbruch ließ ihm Privatunterricht geben, weil sein Sohn sich in keinen Sportverein wirklich einfügen wollte. Aber seither hatte sich sein Äußeres allmählich verändert. Inzwischen war er fast genauso groß wie Jonas, nur dass er einen schlanken geschmeidigen Körper besaß, der durch Beweglichkeit, Kraft und Ausdauer beeindruckte.

Wenn Jonas es auch bereitwillig mit fast jedem Gegner aufnehmen könnte, gegen Hacke würde er kneifen. Der hatte bodenlose Tricks auf Lager und kannte keine Gnade.

„Wir werden den ganzen Scheiß abbrennen! Wenn sie die verkohlte Alte überhaupt irgendwann finden, denken die, dass sie im eigenen Feuerchen verschmort ist. Lass die Hexe brennen!“ Hacke lachte wie irre und konnte gar nicht mehr aufhören. Jonas rappelte sich mühsam auf. Er versuchte ein breites Grinsen, was ihm allerdings entgleiste und ihn wie einen bedauernswerten Trauerkloß aussehen ließ.

„Nur eine kleine Trophäe muss ich mir mitnehmen“, murmelte der vermeintliche schwarze Samurai. Er ergriff den leeren Rucksack der Alten, dann packte er den grauen Kopf bei den Haaren und stopfte ihn ohne Zögern hinein.

Jonas beobachtete das Geschehen mit offenem Mund und entsetztem Blick.

„Nun halte hier nicht Maulaffenfeil, wir haben zu tun!“ Routiniert schulterte Hacke das Schwert und stellte den Rucksack neben die Tür. Anschließend kommandierte er Jonas herum, bis sämtliches Holz in der Feuerstelle loderte. Geschickt legte er eine Spur aus den alten Textilien von der Lagerstatt bis in die Glut und ließ die munteren Funken hungrig danach greifen.

Gierig begannen in der Hausruine die Flammen überall zu züngeln, bis es innerhalb kürzester Zeit lichterloh brannte. Die beiden Jungen, die sich rechtzeitig davon gemacht hatten, bezogen einen Beobachtungsposten in sicherer Entfernung versteckt in einem Gebüsch.

Das Flammeninferno, unterstützt von einem böigen Spätsommerwind, breitete sich unaufhörlich aus und ergriff schon bald das morsche Dach. Als dieses schließlich mit dumpfem Getöse in sich zusammenbrach, machten sich die Freunde auf und davon.

Jeder der beiden strebte seinem behüteten Zuhause entgegen, um in ein gemütliches Bett zu kriechen, als sei überhaupt nichts geschehen.

4. Fußball

Lina Eichhorn hatte sich an diesem Freitag dem 13. Freigenommen, und sie hoffte, dass das Datum kein schlechtes Omen war. So lange hatte sie ihrem alten Vater schon versprochen, mit ihm nach Hamburg zu einem Fußballspiel zu fahren, und es hatte einfach nicht klappen wollen. Meistens lag es an ihrem Dienstplan. Das Verbrechen richtete sich eben nicht nach den privaten Vorhaben der Kriminalisten.

Aber zusätzlich war diese vermaledeite Viruspandemie dann gekommen. Das hatte zum einen noch mehr Arbeit für die Polizei gebracht und zum anderen Fußballspiele in leeren Stadien ohne Zuschauer nach sich gezogen. Sie hatte wegen der Ansteckungsgefahr phasenweise ihren Vater im Altenheim nicht einmal besuchen dürfen. Nun schienen diese schwierigen Zeiten, Dank der zur Verfügung stehenden Impfung, glücklicherweise dem Ende zuzugehen

Endlich saßen sie auf ihren Plätzen im Stadion am Millerntor und fieberten dem Derby entgegen, das sich der 1. FC St. Pauli mit dem Hamburger SV heute liefern würde.

Eigentlich hatte Lina mit der Bahn anreisen wollen, aber es kam ihnen ein Streik in die Quere, so dass sie sich mit dem PKW über verstopfte Straßen plagen mussten. Vor dem Stadion waren dann zahlreiche Einsatzkräfte damit beschäftigt Krawalle beizulegen, die sich unter den gegnerischen Fans entzündet hatten. Sie beneidete die Kollegen nicht um diese Aufgabe.

Ihr Vater, ein eingefleischter HSV-Fan, war sehr nervös, weil er einen Sieg seiner Mannschaft herbeisehnte. Er hatte während der Fahrt von nichts anderem gesprochen, als dass der Gewinner dieses Spiels die Tabellenführung übernehmen würde und damit natürlich dem Aufstieg in die erste Liga wieder ein Stück näher rücken könnte.

„Der HSV ist ein Traditionsverein. Der muss unbedingt wieder erstklassig werden. Das Gedümpel in der zweiten Bundesliga dauert mir schon viel zu lange. Heute könnten die den Durchbruch schaffen“, zeterte der Alte auch jetzt, während der Schiedsrichter das Spiel endlich anpfiff. Die Zuschauer ringsum brachen in Jubel aus. Das Stadion bebte von der freudigen Erwartung auf das lange vermisste Privileg, ein solches Spiel Live zu erleben.

Leider schien dieser Freitag der 13. für den HSV kein Glückstag zu werden. St. Pauli schoss das erste Tor und nur mühsam gelang den Gegnern ein 1:1 gegen Ende der ersten Halbzeit. Der Vater war nicht mehr ganz so euphorisch, als sie sich in der Spielpause ein Getränk gönnten.

„Hoffentlich vergeigen die das nicht wieder! Nun sind wir extra hergefahren, und du musstest dir auch noch frei nehmen. Das wäre ja wirklich blöd, wenn sie das vermasseln, bei der tollen Stimmung, die hier ist.“ Der alter Herr sah sie traurig an.

„Ach, Big Boss, sieh das nicht so eng! Wir haben heute nach langer Zeit mal einen schönen gemeinsamen Tag. Es wird wie meistens die bessere Mannschaft gewinnen. Wir können ja nichts daran ändern. Lass uns doch einfach diese lange vermisste Unbeschwertheit genießen.“

Lina hakte ihren Vater unter, um ihn auf dem Weg zu ihren Plätzen zurück zu stützen. Sie hatte bemerkt, dass er etwas unsicher auf den Beinen war und wollte unbedingt vermeiden, dass er stürzte. Obwohl er für gewöhnlich Hilfe nicht gern in Anspruch nahm, ließ er sich ihre Unterstützung widerstandlos gefallen.

In dieser einsamen Zeit, seitdem die Besuchsbeschränkungen im Altenheim bestehen, ist Vater merklich gealtert, dachte Lina erschrocken.

Dann begann die zweite Halbzeit und damit ein Desaster für den HSV. Sie kassierten zwei weitere Tore. Zwischendurch ging ein Spieler bewusstlos zu Boden und ließ das Publikum minutenlang atemlos bangen. Schließlich wurde das Spiel, nach einem hoffnungsvollen Anschlusstreffer in der 76. Minute, dann doch mit 3:2 Toren verloren.

Auf der Rückfahrt nach Oldenburg saß ihr Vater zusammengesunken neben ihr auf dem Beifahrersitz. Er wirkte noch älter und richtig zerbrechlich. Für fachmännische Kommentare zum Spiel schien er keine Kraft mehr zu besitzen, und nach der Hälfte der Fahrstrecke schlief er einfach ein.

Sie machte sich insgeheim Vorhaltungen, ihrem alten Herrn diese Anstrengung zugemutet zu haben. Sie konnte zwar nichts für den enttäuschenden Spielausgang, aber vielleicht hätte sie den verschlechterten Gesundheitszustand früher bemerken müssen?

In Sorge krampfte sich ihr Herz schmerzhaft zusammen. Ihr Beruf ließ ihr wenig Zeit für ein intensives Familienleben. Und doch hing sie sehr an ihrem Vater. Dass er einmal nicht mehr da sein würde, um ihr Leben mit seiner kauzigen Art aufzumischen, mochte sie sich gar nicht vorstellen.

Leise schaltete sie das Radio ein. Er schlief so fest, dass es ihn nicht stören würde. Und ihr half das nach dem anstrengenden Tag, wach und auf den starken Verkehr konzentriert zu bleiben. NDR 2 spielte die übliche moderne Musik und berichtete zwischendurch über das Hamburger Derby, das natürlich im Norden in aller Munde war.

Sie ärgerte sich gerade über ein rücksichtsloses Überholmanöver, als ihr Telefon klingelte. Es war eine ihr unbekannte Mobilfunknummer. Einen Moment zögerte sie, nahm das Gespräch dann aber doch an. Dank der Freisprechanlage konnte sie sich trotzdem weiter auf die Fahrt konzentrieren.

„Hier spricht Andreas, Andreas Pantekook. Hallo, Lina! Ich hoffe ich störe sie nicht gerade?“

Lina musste nur einen kurzen Moment überlegen, dann wusste sie wieder, dass es sich um einen Kollegen aus Emden handelte. Sie hatten vor einiger Zeit in einem Fall von sexueller Kindesmisshandlung mit Todesfolge erfolgreich zusammengearbeitet. Sie drehte das Radio ab und warf einen forschenden Blick auf ihren im Beifahrersitz zusammengesunkenen Vater, der jedoch friedlich weiterschlief.

„Oh, hallo Andreas, wir haben ja lange nichts von einander gehört! Nein, Sie stören mich nicht. Ich bin gerade auf der Rückfahrt von Hamburg. Mein Vater und ich haben uns das Derby angesehen."

Ihr Gesprächspartner antwortete nicht gleich. Dann fragte er: „Das Derby?"

Lina musste lächeln. Konnte es tatsächlich sein, dass irgendein Mann in Norddeutschland nicht verstand, wovon sie sprach?

„Ja, das Fußballspiel zwischen St. Pauli und dem HSV!"

„Ach, Fußball! Ja, das ist so gar nicht meine Welt. Aber ich hoffe, Sie hatten eine Menge Spaß", meinte der Hauptkommissar lachend.

„Nun, der HSV hat leider verloren. Das war für meinen Vater eine herbe Enttäuschung. Doch er wird darüber hinweg kommen. Nach dem Spiel ist vor dem Spiel!" Sie schmunzelte. „Aber weshalb rufen Sie zu so später Stunde an, Andreas?"

„Wir haben wieder mal einen personellen Engpass. Ich wollte Sie persönlich fragen, bevor wir morgen den offiziellen Antrag an Ihre Dienststelle richten, ob Sie vielleicht nochmals bereit wären, mit uns gemeinsam ein Gewaltverbrechen aufzuklären?“ Pantekook machte eine winzige unsichere Pause, als befürchte er ihre Ablehnung. „Unsere Zusammenarbeit war doch ganz erfolgreich. Vielleicht hätten Sie Lust und Zeit, liebe Kollegin?“

„Wenn es nur nach mir ginge, habe ich kein Problem damit. Es hat mir in Emden gut gefallen. Aber mein Chef muss natürlich einverstanden sein. Stellen Sie den unvermeidlichen Antrag und falls er bewilligt wird, schicken Sie mir unbedingt die Informationen zu ihrem Fall. Dann kann ich mich schnellstens vorbereiten. Okay?“

„Ja, das ist wunderbar! Ich denke das wird klappen und freue mich auf unsere Zusammenarbeit. Jetzt will ich aber nicht weiter stören! Gute Heimfahrt wünsche ich Ihnen. Tschüss, Lina!“

Pantekook klang so begeistert, als habe er die Zusage bereits. Lina wünschte ihm einen schönen Abend und schaltete nach Beendigung des Telefonates das Radio wieder ein. Ihr Vater gab nun leichte Schnarchlaute von sich. Sie hoffte, dass er wenigstens angenehme Träume hatte.

5. Eine neue SoKo

Lina Eichhorn saß in ihrem Büro in Oldenburg vor dem Laptop und suchte nach einer bestimmten digitalisierten Akte. Meistens war die heutige Arbeit ohne diese dicken staubigen Aktenberge effektiver, weil schneller und sauberer. Aber diesmal wollte sich der Erfolg einfach nicht einstellen. Ob sie mit der Schreibweise des Namens falsch lag?

Sie seufzte tief, ließ sich im Schreibtischstuhl ganz nach hinten sinken und fuhr mit beiden Händen durchs Haar. Eine richtig schöne Kopfmassage könnte ihr jetzt gut tun. Sie war unkonzentriert und auch noch ein wenig müde, wegen des gestrigen Ausflugs mit ihrem Vater.

Eigentlich hatte sie sich das gesamte Wochenende frei genommen, aber die Sache mit Pantekooks Anruf ließ ihr keine Ruhe. Wenn die Angelegenheit so wichtig war, wie sie annahm, würde der Abruf nach Emden sie noch an diesem Samstag ereilen. Sie sah ihre Mails durch, ob der Kollege schon Unterlagen zu dem Fall geschickt hatte, fand aber noch nichts.

Während sie unruhig auf ihrem Stuhl hin und her rutschte und weiter nach der blöden Akte suchte, klingelte ihr mobiles Diensttelefon.

„Ach, Lina, guten Morgen! Ich hab sie doch hoffentlich nicht in Ihrem Schönheitsschlaf unterbrochen", fragte ihr Dienststellenleiter freundlich und ungewohnt charmant. Er wollte ja was von ihr!

„Guten Morgen, Bernhard! Nein, Sie haben mich nicht geweckt. Ich bin im Büro. Geht es um die SoKo in Emden? Hauptkommissar Pantekook hatte mich gestern bereits vorgewarnt." Sie wollte einer langen Debatte unbedingt vorbeugen. Entweder er kommandierte sie ab, oder sie würde sofort wieder nach Hause verschwinden und ihren Kurzurlaub bis zur letzten Minute auskosten.

„Ach so, Sie wissen schon Bescheid?" Er klang enttäuscht oder sogar leicht verärgert. Agitationen hinter seinem Rücken liebte er überhaupt nicht. Dann kam er aber doch zur Sache und gab ihr grünes Licht, sich der Sonderkommission in Emden anzuschließen.

„Aber eines sage ich Ihnen gleich, Lina, länger als drei Wochen kann ich Sie auf keinen Fall entbehren. Dann geht Annika in Kur - wissen Sie ja sicher - und hier würde ohne Sie beide der Teufel los sein."

Die Hauptkommissarin wartete nur ab, bis das Gespräch beendet war, dann schaute sie erneut erfolglos in ihren Email-Eingang. Schnell räumte sie ihren Arbeitsplatz auf, schrieb ihrer Kollegin einen Zettel mit ein paar wichtigen Dingen, die in ihrer Abwesenheit unbedingt erledigt werden mussten, und machte sich zügig auf den Weg nach Hause, um ihren Koffer zu packen.

Da sie noch immer keine näheren Informationen zu dem Kapitalverbrechen, das ihre Anwesenheit in Emden notwendig machte, bekommen hatte, rief sie Pantekook persönlich an.

„Hallo, Andreas, ich bin's, Lina Eichhorn! Mein Chef hat seine Zustimmung gegeben. Ich werde also gleich nach Emden abfahren. Dauert vielleicht anderthalb bis zwei Stunden, dann bin ich vor Ort."

„Moin, Lina! Ja, das freut mich sehr. Ihr Chef hatte mir schon Bescheid gegeben." Er zögerte einen kurzen Moment, aber das kannte Lina ja bereits von ihm. „Wissen Sie schon, wo Sie wohnen wollen? Die Eigentumswohnung unseres erkrankten Dienststellenleiters stünde sonst wieder zu Ihrer Verfügung."

Lina war überrascht. Sie würde sehr gern auf das Angebot eingehen, denn sie hatte sich in der Wohnung sehr wohlgefühlt. Die war hervorragend ausgestattet und für einen Junggesellen ungewohnt gepflegt.

„Ist Herr Grothe denn noch immer nicht aus der Reha-Maßnahme zurück?“ Der sympathische Mann hatte Krebs, und Lina interessierte sein Zustand.

„Ach, das ist ein Elend mit Oliver! Er liegt jetzt im Hospiz. Der wird nicht mehr in sein schönes Zuhause zurückkehren – leider“, erklärte Pantekook bedrückt. „Sie brauchen also keine Skrupel zu haben. Ich habe alles bereits mit ihm geklärt. Er würde sich über ihre Anwesenheit in seiner Wohnung genauso freuen wie ich.“

„Dann ist ja soweit alles okay. Die Unterlagen von dem Fall hatten Sie mir noch nicht zukommen lassen? - Aber macht jetzt auch nicht mehr viel Sinn. Im Auto kann ich die sowieso nicht lesen. Treffen wir uns auf dem Revier oder bei der Wohnung, was ist Ihnen lieber?“ Lina wollte jetzt nur noch losfahren, um keine unnötige Zeit zu vergeuden.

„Kommen Sie am besten gleich in die *Große Straße* zur Wohnung. Ich bin da und bringe alle

Informationen mit. Fahren Sie vorsichtig! Bis später." Dann war das Gespräch beendet.

Lina steckte das Mobiltelefon ein, holte die Dienstwaffe aus dem Safe und war zur Abfahrt bereit.

Während sie auf der vormittags nur mäßig befahrenen Autobahn in Richtung Emden unterwegs war, rief sie ihren Vater im Altenheim an. Er ließ sein Telefon wie gewöhnlich sehr lange klingeln, ehe er sich unwirsch meldete.

„Ja, was ist jetzt schon wieder so wichtig? Kann man nicht Mal in Ruhe auf dem Klo sitzen?", grummelte er.

„Oh, Big Boss, das tut mir nun wirklich leid! Ich bin's, Lina", versuchte sie ihn zu beschwichtigen. Da er nur weiter brummte und keine Anstalten machte, etwas zu sagen, fuhr sie munter fort: „Ich will dich auch gar nicht lange stören. Es geht um meinen neuen Einsatz in Emden. Im Moment sitze ich im Wagen, aber sobald ich vor Ort bin und näheres erfahren habe, spreche ich dann mit dir ab, wie wir die nächsten zwei bis drei Wochen am besten wuppen."

„Wuppen – grummel, grummel! Was soll das wieder heißen? Wie soll ein älterer Mensch diese

Welt noch verstehen?“ Er schwieg eingeschnappt.

„Aber, Big Boss, du bist doch noch nicht alt“, schmeichelte sie. „Wir werden bestimmt eine Lösung finden, wie wir die Zeit überbrücken, während ich an dem Fall in Emden arbeite. Es gibt ja Telefon!“

„Was für'n Fall ist das denn?“ Für ihre Arbeit besaß der ehemalige Polizist immer noch ein offenes Ohr.

Leider hatte sie selbst noch keinen blassen Schimmer, was sie in Emden erwartete, deshalb war sie auch nicht in der Lage, ihren alten Herrn mit ein paar unverfänglichen Insiderinfos aufzumuntern.

„Tut mir leid, aber ich hab noch keine näheren Informationen. Ich rufe dich aber heute noch an – versprochen! Und nun lass dich nicht länger bei deinen natürlichen Verrichtungen stören. Ich hab dich lieb, alter Brummbär!“ Sie beendete das Gespräch, noch bevor er irgendetwas Unflätiges antworten konnte.

6. Ermittlungsgrundlagen

Hauptkommissarin Eichhorn suchte in der *Großen Straße* verzweifelt einen Parkplatz. Normalerweise gab es hier genug Stellplätze aber nicht am Samstagvormittag. Der Wochenmarkt befand sich nur wenige Schritte entfernt und auch sonst waren die kleinen Geschäfte in der Innenstadt wieder gut besucht. Einige der Passanten trugen zwar noch auf der Straße ihre Schutzmasken, aber die erdrückende Stille der ausgestorbenen Städte, während des berüchtigten Pandemie-Lockdowns, schien endgültig vorüber.

Als vor ihr endlich jemand eine Parklücke freimachte, setzte sie erleichtert den Blinker und parkte ein. Am Wochenende war das Parken glücklicherweise gebührenfrei. So musste sie nicht noch zum Parkautomaten laufen und Kleingeld zusammensuchen.

Sie ergriff ihre Siebensachen, verschloss den Wagen und machte sich auf zu Grothes Wohnung. In der kleinen Pizzeria, die sie bei ihrem früheren Aufenthalt schätzen gelernt hatte, gingen gerade die Lichter an. Einen sehnsüchtigen Blick durch die Scheibe in das gemütliche Lokal riskierend eilte sie weiter.

Auf ihr Läuten wurde sofort geöffnet. Sie betrat den gepflegten Hausflur und fühlte sich beinahe wie heimgekommen. Kollege Pantekook erwartete sie breit lächelnd in der geöffneten Wohnungstür.

„Hereinspaziert mit Ihnen, liebe Frau Kollegin! Das haben Sie ja wirklich prompt geschafft. War die Fahrt erträglich?" Er half ihr selbstverständlich aus ihrem leichten Sommerblazer und hängte ihn auf einen der leeren Bügel in der Diele.

„Ach, es war alles ziemlich frei unterwegs. Nur hier in der *Großen Straße* war die Hölle los", antwortete Lina lächelnd und begab sich in die gute Stube. Dort hatte Andreas auf dem Couchtisch schon einen Haufen Unterlagen ausgebreitet.

„Soll ich uns einen Tee machen? Wasser ist schon heiß", fragte er betulich wie immer und bewegte sich schon in Richtung Küche, bevor Lina ihr „Ja, Danke gern!" herausbringen konnte.

Sie ließ sich mit einem gewissen Gefühl von Erschöpfung in das bequeme Sitzmöbel fallen. Für den Moment überkam sie eine sehr emotionale Erinnerung und veranlasste sie, sanft über den neben ihr stehenden Beistelltisch zu streicheln. Dann stand Pantekook auch schon mit einem gefüllten Tablett im Zimmer und stellte es vorsichtig ab. Es gab Ostfriesentee mit Kluntje und Sahne sowie Butterkekse.

Das kräftige Assam-Aroma, eingehüllt in die cremige Süße der traditionellen Beigaben, weckten sehr nachhaltig ihre Lebensgeister. Und während sie an einem Keks knabberte, folgte sie konzentriert dem Bericht ihres Kollegen, der den Sachverhalt erläuterte, welcher ihr Hiersein erforderlich machte.

„Die Feuerwehr wurde in der Nacht von Mittwoch auf Donnerstag zu einem Brand in Hilmarsum gerufen. Das ist einer unserer Stadtteile - falls es Ihnen nichts sagen sollte. Wir werden uns selbstverständlich später noch persönlich vor Ort begeben." Er nahm einen Schluck Tee und griff dann nach einigen Fotos, die auf dem Tisch lagen.

„Hier sind einige Aufnahmen, die am Ort des Geschehens aufgenommen wurden, nachdem der Brand durch die Wehr gelöscht worden war. Viel ist von dem verfallenen Gemäuer nicht übrig geblieben. Es war ein baufälliges altes Haus. Sollte demnächst abgerissen werden, weil dort unter Umständen ein größeres Neubaugebiet entstehen wird."

Die Hauptkommissarin betrachtete die Fotos eingehend. Als sie nichts außer Schutt und Asche entdecken konnte, meinte sie ungeduldig: „Was ist an dem Brand eines alten Hauses so spektakulär? Sie haben mich doch nicht wegen eines Falles von Brandstiftung hergeholt?"

„Selbstverständlich nicht, Lina! Auch die Feuerwehr hatte die Situation nicht gleich erkannt. Sie wurden erst spät zur Brandstelle gerufen, weil das Haus einsam liegt von hohen Bäumen umgeben, und die Zeugen den wahrnehmbaren Brandgeruch zuerst einer nachbarlichen Feuerschale zugeschrieben hatten. Mitten in der Nacht hat dann niemand mehr nach Hinweisen, die über die Brandursache Auskunft geben konnten, geforscht. Der Ort wurde wie üblich durch Flatterband gesichert und erst am nächsten Morgen von den Ermittlern aufgesucht. Es war schließlich kein wirklicher Sachschaden entstanden. Ich wurde dann benachrichtigt, als sich in der Asche Überreste eines menschlichen Körpers fanden und andere Indizien, die auf eine in den Flammen verbrannte Frau schließen ließen." Andreas reichte seiner Kollegin nun weitere Fotos und in Plastik verpackte Gegenstände.

„Ach, ich verstehe", meinte Lina, während sie die Fotos genau ansah. Die verbrannten Überreste der Frau waren kaum zu erkennen. Allerdings befanden sich in den Plastikbeuteln drei nur leicht angekokelte 10-Euro-Scheine, ein kleines silbernes Medaillon und ein von der Hitze leicht gewellter deutscher Personalausweis. *Juliane Marie Bakkermann* hieß die Tote, wenn es denn überhaupt ihr Ausweis war.

„Also, die Fotos von der verbrannten Leiche hat Joe gemacht. Sie kennen ihn ja noch von unserem letzten gemeinsamen Einsatz. Er ist immer ganz besonders gründlich. Deshalb ist ihm aufgefallen, dass der Kopf der Frau fehlte."

Hauptkommissarin Eichhorn blickte erstaunt von den Fotos auf. „Mir wäre das jetzt nicht direkt ins Auge gesprungen. Es ist ja leider nicht sehr viel übrig geblieben von der Armen. Aber das lässt den Fall natürlich in einem ganz anderen Licht erscheinen. Wenn wir nicht davon ausgehen wollen, dass der Kopf der Frau nach dem Brand vom Tatort entfernt wurde, haben wir es definitiv mit einem Verbrechen zu tun."

„Ja, so ist es! Die Brandreste liegen natürlich in der Pathologie und bei der Spurensicherung. Wir haben die Hoffnung, dass sich dort noch weitere Hinweise auf den Tathergang finden lassen. Einstweilen habe ich mich mit der Identität der

Toten beschäftigt. Was anhand des Personalausweises auch keine große Sache war." Er schenkte Tee nach und setzte sich dann seufzend wieder in seinen Sessel.

„Das große Glück mit dem Ausweis verdanken wir wahrscheinlich der Tatsache, dass die Frau ihre Wertgegenstände unter einer Isomatte gebunkert hatte. Die Unterseite war feuerfest, weshalb sie am längsten standgehalten hatte. Außerdem lag ihr Körper darauf, was einen gewissen Schutz für die Gegenstände darstellte. Man hätte ihr gewünscht, dass mehr als diese paar Habseligkeiten von ihr übrig geblieben wäre, immerhin war sie gerade mal sechzig Jahre alt geworden."

„Was konnten sie denn sonst noch über die Frau herausfinden, Andreas?" Linas Interesse an dem Fall war geweckt.

„Nun, geboren ist sie in Osnabrück, ledig, keine Kinder. Die Eltern sind auch schon verstorben. Allerdings existiert eine Schwester, die in Leer wohnhaft ist. Sie selbst hatte seit über zwanzig Jahren keinen festen Wohnsitz, war also obdachlos. Ich kann mir vorstellen, dass sie in dem Haus übernachten wollte. Die Ermittler haben festgestellt, dass der Brand von einer offenen Feuerstelle in der Mitte eines der Räume ausgegangen ist.“ Er trank seine Teetasse leer und schenkte nochmals nach. Dann hob er den Deckel der kleinen Kanne an, warf einen Blick hinein und fragte liebenswürdig: „Lina, wenn sie noch mehr Tee wünschen, gebe ich gern noch eine Kanne auf.“

Sie schüttelte nur lächelnd den Kopf und vertiefte sich dann erneut in die Fotos. Joe hatte die geschossen, Joe Kokker. An ihn hatte sie wehmütige und verstörende Erinnerungen. „Man trifft sich immer zweimal im Leben“, hatte sie zum Abschied hoffnungsvoll gesagt. Nun war die Wahrscheinlichkeit sehr hoch, dass sie Recht behielt.

„Wenn die Frau Bakkermann auf der Straße gelebt hat, wird es nicht unbedingt einfach, ihre letzten Tage nachzuvollziehen, um Hinweise auf das Verbrechen und einen eventuellen Täterkreis zu finden. Hoffen wir, dass Emden ihr bevorzugter Aufenthaltsort war.“ Sie sah Pantekook nachdenklich an. „Das bedeutet einiges an Lauferei, um Licht ins Dunkel zu bringen.“

7. Am Tatort

Wie Andreas Pantekook bereits angeregt hatte, beschlossen die beiden Kriminalbeamten sich zunächst gemeinsam einen persönlichen Eindruck vom Fundort der Leiche zu verschaffen. Sie fuhren mit seinem Dienstwagen zur Brandstelle in Hilmarsum.

„Leider müssen wir einen kleinen Umweg durch die Stadt machen. Die berüchtigte Trogstrecke wird zurzeit erneuert und ist deshalb bis auf weiteres für den Durchgangsverkehr gesperrt. Das ist ein echtes Problem für den Verkehrsfluss in Emden." Der Wagen passierte gerade das Otto-Huus und musste an der roten Ampel halten. Zu ihrer Linken erblickte Lina die großen Schiffe, die auf dem Delft lagen. Sie dümpelten im Sonnenschein, während zahlreiche Spaziergänger an ihnen vorbei flanierten. Es erinnerte Lina an eine Postkartenidylle.

„Ein hübsches Städtchen ist Emden – so im Sonnenschein betrachtet." Sie ließ den Blick über das Wasser gleiten bis zum alles überragenden Glockenturm des Rathauses im Hintergrund. Nachdem sie abermals zum Anhalten gezwungen worden waren, fuhren sie nun rechts ab hinter den Schiffen vorbei aus der Innenstadt hinaus.

„Unser bekanntes Wahrzeichen, das Feuerschiff, befindet sich seit kurzem erneut auf der Werft. Es war ja bereits für viel Geld restauriert worden. Dann gab es da diesen ganz gemeinen Anschlag, der es fast vernichtet hätte. Haben Sie davon in Oldenburg nichts mitbekommen?“, fragte Andreas. Sie zuckte nur ratlos die Schultern.

„Ja, da hatte doch tatsächlich jemand äußerst hinterhältig bei Nacht und Nebel ein Loch in den Schiffsrumpf gebohrt. Beinahe wäre der Pott abgesoffen. Aber den oder die Typen werden wir uns kaufen, das können Sie mir glauben. Daran wird mit Hochdruck gearbeitet.“ Der Hauptkommissar wirkte ausnahmsweise richtig leidenschaftlich. Dann schien ihm sein Temperamentsausbruch jedoch unangenehm zu sein, und er schwieg für den Rest der Fahrt. Da Lina auch nicht an Smalltalk interessiert war, hing sie in der angenehmen Stille ihren Gedanken nach bis sie Hilmarsum erreichten.

Der Stadtteil wirkte ländlich und dünn besiedelt. Sie bogen von der Hauptstraße rechts ab und kamen über einen sehr holprigen Weg zu der einsam gelegenen Brandstelle. Die Feuerwehrfahrzeuge hatten überall tiefe Spuren im lehmigen Untergrund hinterlassen.

Die Hauptkommissarin hatte Sorge wegen ihrer leichten Schuhe. Vorsichtig bewegte sie sich, immer bemüht über unversehrtes Gras zu laufen, auf den Haufen schwarzer Asche zu, der von der Hausruine übriggeblieben war. Es standen nur noch rudimentäre Mauerreste, die das Feuerinferno und die Löscharbeiten überlebt hatten. Immer noch lag ein Brandgeruch in der sonst klaren Luft. Der Himmel war ausnahmsweise strahlend blau mit wenigen Schönwetterwolken betupft, was der mit weißrotem Flatterband eingezäunten Szene etwas Groteskes verlieh.

„Ein schrecklicher Tatort im Sommersonnenschein", murmelte Lina. Aber Andreas schien sie nicht gehört zu haben. Er befand sich einige Meter entfernt, auf der anderen Seite der Ruine. So schritten sie beide mit äußerster Konzentration das Gelände ab, um eventuell noch Hinweise zu finden, die übersehen wurden. Plötzlich erblickte Frau Eichhorn etwas Helles, das zwischen den Grashalmen hervor lugte. Sie bückte sich und zog eine weiße Feder hervor, die sie verwirrt gegen das Sonnenlicht betrachtete. Dann steckte sie das Fundstück in eine der mitgeführten Plastiktüten.

„Haben Sie was entdeckt, Lina?“ Pantekook stand plötzlich neben ihr, ohne dass sie ihn gehört hatte. Sie hielt ihm den Beutel hin. „Eine weiße Feder. Das muss nichts mit unserem Brandopfer zu tun haben, aber wir können es zu diesem Zeitpunkt nicht wissen. Erscheint mir jedenfalls ziemlich groß zu sein für einen Wildvogel. Höchstens von einer großen Möwe vielleicht, sonst tippe ich eigentlich auf ein Huhn.“ Sie nahm den kleinen Beutel wieder an sich und schob ihn in die Tasche ihres Blazers.

„Vielleicht hat sich die Frau ein Huhn an einem Lagerfeuer gebraten? Oder es waren ursprünglich mehrere Obdachlose, und es gab Streit um das Essen?“, spekulierte der Hauptkommissar ins Blaue hinein.

„Im Moment wissen wir wirklich zu wenig, um irgendetwas auszuschließen“, antwortete seine Kollegin sinnend. „Wir sollten die Leute in diesem Stadtteil befragen. Sehr viele wohnen hier ja nicht. Das könnten vielleicht auch die Kollegen von der Streife übernehmen?“

„Ich muss mal mit denen sprechen, ob sie uns ein paar Leute zur Verfügung stellen.“ Andreas wirkte kritisch. Er befürchtete, dass er selbst ranmusste.

„Was ist übrigens mit der Schwester der Toten? Sie sagten doch, dass die in Leer wohnt. Mit der müssen wir definitiv reden. Sie wird uns sicher was über die obdachlose Frau sagen können. Außerdem hat sie als nächste Verwandte ein Recht auf Benachrichtigung von ihrem Ableben."

„Ja, vielleicht wollen Sie das übernehmen? Sie können mit einem Streifenwagen hingebracht werden. Die Polizisten kennen sich bestens in Leer aus. Und dann kann ich hier die Befragung der Anwohner organisieren. Was meinen Sie dazu, Lina?" Er lächelte sie auf diese unterwürfige Art an, die ihm nun mal zu eigen war.

„Ist eine sehr gute Idee, Andreas. Ich würde nur gern noch einen Blick auf die nähere Umgebung werfen, wenn es Ihnen gerade passt. Hier sind ja außer diesen hohen Bäumen weit und breit nur Wiesen und Felder."

Sie stiegen wieder in den Wagen. Pantekook holperte über den schlechten Weg zurück bis zu einer kleinen Siedlung auf der anderen Seite der Hauptstraße. Es handelte sich ausnahmslos um gepflegte Einfamilienhäuser, die teilweise schon in die Jahre gekommen waren. Lina stach auf den ersten Blick nichts besonders ins Auge. Alles wirkte aufgeräumt und bürgerlich. Genauso hatte sie auch einige andere Stadtteile von Emden bereits bei ihrem ersten Einsatz vor ungefähr zwei Jahren wahrgenommen. In mehreren Gärten erblickte sie Anwohner bei der üblichen Gartenarbeit. Irgendwo erklang das vertraute Dröhnen eines Rasenmähers. Aber stellenweise befanden sich auf den makellosen Rasenflächen inzwischen bereits Mähroboter im fast lautlosen Dauereinsatz.

„Das sieht nicht so aus, als handele es sich hier um eine typische Brutstätte der Kriminalität", rutschte Lina heraus. Und sie hätte sich für diese oberflächliche Bemerkung am liebsten nachträglich auf die Zunge gebissen.

Aber ihr hiesiger Kollege Andreas lachte nur ganz entspannt und meinte: „Ich glaube, das ist für heute erst mal genug mit den Eindrücken vor Ort. Wenn wir nicht in die Tiefe gehen, kommen wir in der Sache nicht weiter. Fahren wir nun am besten zum Revier zurück, essen irgendwo einen Happen-Pappen und stimmen dann unser weiteres Vorgehen mit den Kollegen von der Streife ab!"

8. Zusammenarbeit

Sie entschieden sich für das kleine italienische Lokal, an dem Lina bei ihrer Ankunft vorbeigelaufen war. Zur Mittagszeit war es glücklicherweise nicht voll besetzt. So fanden sie noch einen gemütlichen Tisch und ließen sich mit hervorragenden mediterranen Speisen bedienen. Rotwein kam leider nicht infrage, weil sie beide noch einen arbeitsreichen Nachmittag vor sich hatten, aber es wurde auch so eine genussreiche entspannte Mittagspause.

Im Anschluss schlenderten sie zum Polizeirevier neben dem Wasserturm und begaben sich in Andreas Pantekooks Büro.

„Ich dachte mir, dass es Ihnen recht wäre, solange sie hier bei uns sind, das Büro von Oliver Grothe zu übernehmen. Es steht nun schon eine ganze Weile leer. Irgendwann wird hier natürlich mal ein neuer Dienststellenleiter auftauchen, aber bis dahin würden Sie uns eine Freude machen, wenn Sie es für einige Zeit mit Leben füllen könnten."

Lina war erfreut. Sie liebte es beim Arbeiten ungestört zu sein. Die Tendenz zu Großraumbüros hatte sie nie verstehen können. Und offenbar rächte sich das enge räumliche Zusammenarbeiten jetzt in der Corona-Pandemie. Sie ging bereitwillig mit ihrem Kollegen nach nebenan in das Zimmer des erkrankten Dienststellenleiters und nahm an seinem verwaisten Schreibtisch Platz. Der Raum war hell und roch frisch renoviert. Die Möblierung wirkte zweckmäßig. Sie fand hier alles vor, was sie zum Arbeiten benötigte.

„Die Liste mit den Telefonnummern und den Passwörtern, die sie brauchen, habe ich bereits unter die Schreibtischauflage gelegt. Aber für alle Fragen bin ich ja immer nebenan zu erreichen." Er sah sie forschend an, wahrscheinlich, um ihr mögliche unausgesprochene Wünsche sofort von den Augen abzulesen.

So war er, ihr vorübergehender Kollege! Nun, sie würde erneut damit leben können – auf alle Fälle für die nächsten zwei oder drei Wochen.

Bevor er den Raum verließ, um einige organisatorische Dinge persönlich mit der betreffenden Abteilung zu regeln, wandte er sich noch einmal kurz zu Lina um. Schmunzelnd deutete er auf eine üppig blühende Topfblume, die - deplatziert wie eine Märchenprinzessin - auf der kahlen Fensterbank thronte. „Ich hab eine neue gekauft.

Das Alpenveilchen hatte unsere Pflege leider nicht lange überlebt. Wir wissen ja, dass Sie Blumen lieben."

Die Hauptkommissarin lächelte bei der aufkommenden Erinnerung. Die schreckliche übergroße Plastikgießkanne, mit der sie das hilflose Alpenveilchen vermutlich ertränkt hatten, konnte sie glücklicherweise nirgends erblicken.

Sie zog die Liste mit den Telefonnummern heraus und suchte nach Joe Kokker. Er saß noch im selben Raum unter dem Dach mit der alten Telefonnummer. Leider gab es im Augenblick keinerlei Anlass ihren *Indianer,* wie sie ihn insgeheim nannte, zu kontaktieren. Sie spürte ein seltsames Flattern in der Magengegend. Irgendwie würde sich alles von selbst ergeben, beruhigte sie sich. Dann loggte sie sich fürs erste mit den entsprechenden Passwörtern in den Computer ein, um den dort vorliegenden Bericht der Spurensicherung eingehend zu studieren.

Als das Telefon klingelte, meldete sie sich sofort. Am Apparat war die Polizistin Frauke Janßen, die Lina ebenfalls noch kannte. Sie fragte nach, ob es recht sei, wenn sie gleich gemeinsam nach Leer führen. Lina war natürlich einverstanden, obwohl sie wusste, dass die junge Frau einen heißen Reifen fuhr. Sie zog ihren Blazer über, damit ihre Dienstwaffe nicht gar so auffiel, nahm den Zettel mit der Anschrift an sich und begab sich zum Parkplatz. Dort stand der Streifenwagen mit Frauke am Steuer bereits abfahrbereit.

Die beiden Frauen begrüßten sich beinahe wie alte Freundinnen. Immerhin hatte Frauke Janßen Lina damals das Leben gerettet. Sowas vergisst man nicht! Die Hauptkommissarin ließ sich in den Beifahrersitz sinken, schnallte sich sorgfältig an und versuchte zu entspannen.

„Kennen Sie Leer oder haben Sie das erste Mal dort zu tun?“, wollte die junge Polizistin mit dem unvergleichlichen kupferfarbenen Haarschopf von ihr wissen. Sie hatte das lange Haar heute sittsam mit einem Gummiband im Nacken zusammengefasst. Trotzdem wirkte sie auf Lina immer noch wild und unberechenbar. Nachdem sie nun wusste, dass die Kollegin aus Oldenburg noch nie in Leer gewesen war, spielte sie mit großer Begeisterung die Fremdenführerin.

Sie hätte sich bei *Polyglott* bewerben sollen, dachte Lina, während sie die vielen freundlichen Erklärungen an sich vorbeirauschen ließ, wie die grüne flache Landschaft hinter den Autoscheiben. Das Wetter hatte sich zum Nachteil verändert. Dunkle Wolken waren plötzlich aufgezogen. Es sah nach Gewitter aus. Hoffentlich würde sie nicht klitschnass, weil sie keinen Schirm dabei hatte.

Frauke referierte fleißig über das „Tor Ostfrieslands“ an Ems und Leda mit vielen interessanten Sehenswürdigkeiten und vor allem einer wirklich empfehlenswerten Einkaufsmeile, während ein Unwetter auf den Streifenwagen herab ging. Die Scheibenwischer konnten die Sturzflut kaum bewältigen. Lina klammerte sich unauffällig am Sitz fest, weil die Polizistin ihre halsbrecherische Geschwindigkeit völlig unbeeindruckt von den herab fallenden Wassermassen beibehielt.

„Bei solchem Mistwetter ist es natürlich nirgendwo schön“, unterbrach sie ihren Vortrag dann doch für einen Moment, um Lina einen missmutigen Blick zuzuwerfen. Diese war froh, den geschichtlichen und kulturellen Ausführungen für den Augenblick entkommen zu sein und lächelte aufmunternd. Dabei fiel ihr das eindeutige Bäuchlein auf, das unter der geöffneten Uniformjacke der jungen Frau hervor lugte.

„Ach, Frauke, ich will ja nicht indiskret sein, aber darf ich zur Schwangerschaft gratulieren?“

„Ja, sicher! Das kann doch jeder sehen. Ich bin schon im sechsten Monat. Deshalb hab ich eigentlich Innendienst, aber solche Fahrten, wie diese heute, übernehme ich sehr gern. Das ist ungefährlich und eine tolle Abwechslung“, antwortete sie bereitwillig.

Ob Fraukes Fahrstil wirklich total ungefährlich für Mutter und Kind war, wagte Lina zwar zu bezweifeln, aber sie freute sich mit der Schwangeren über das zu erwartende Baby. Ganz vage stiegen die verblassten Erinnerungen an ihre Schwangerschaft mit Carina und die anschließende Zeit als alleinerziehende Mutter in ihr auf.

Frauke wechselte nun das Thema. Sie schwärmte von der Traumhochzeit, die ihr demnächst bevorstand, schilderte in allen Einzelheiten das weiße Kleid, von dem sie hoffte, dass es in zwei Wochen noch passte, und ließ sich schließlich über die verschiedensten Namensoptionen für ihr Baby aus.

Natürlich gab es, wie bei den meisten jungen Eltern, auch zwischen ihr und ihrem Zukünftigen gewisse Differenzen und lange Diskussionen, was den künftigen Vornamen des Kindes anging. Dies nahm sie zum Anlass, eine endlose Liste von Namen mit ihrer kulturellen Herkunft und Bedeutung daher zu beten, die es in ihre engere Wahl geschafft hatten.

Lina war erleichtert, als Frauke - inzwischen bei *K* wie *Konrad* angekommen - endlich vor einem größeren Wohnblock unter hohen alten Bäumen in einer ruhigen Nebenstraße einparkte. Der Regen hörte in diesem Moment glücklicherweise so plötzlich auf, wie er begonnen hatte.

Während Lina noch amüsiert darüber nachsann, warum ein modernes junges Paar ernsthaft in Erwägung zog, seinen Sohn *Konrad*, den *kühnen Ratgeber* zu nennen, standen die beiden Kriminalbeamtinnen schon vor der Haustür.

9. Schwester Beatrice

Auf ihr Klingeln ertönte der Türsummer. Die beiden Frauen betraten ein gepflegtes Treppenhaus und setzten vorschriftsmäßig ihre Gesichtsmasken auf. Die Schwester der Toten wohnte in der ersten Etage. Ihr Name, Beatrice Teerhoff, zierte in geschwungenen Buchstaben ein goldfarbenes Schild auf der Wohnungstür. Hinter einer kleinen Scheibe in Augenhöhe regte sich etwas. Hastig wurde die Tür aufgerissen.

Die Beamtinnen sahen sich einer Frau von ungefähr siebzig Jahren gegenüber, die so gestylt wirkte, als habe sie gleich einen Auftritt in einem Schmierentheater. Über rosaroten Bäckchen leuchteten zwei fröhliche wasserblaue Augen von schwarzer Tusche umrahmt, die sie vorerst fragend fixierten. Auf dem Kopf befand sich ein seltsames Gebilde mit einer lila Schleife, das aussah wie ein kürzlich verlassenes Vogelnest.

Lina Eichhorn zückte ihren Dienstausweis und stellte sie beide vor. Mit einer grazilen Drehung, die ihre bunten Röcke schwingen ließ, gab die kleine Frau sofort die Tür frei und bat sie freundlich einzutreten. Die Hauptkommissarin glaubte ein melodisches Summen zu vernehmen, während Beatrice Teerhoff vor ihnen her zur guten Stube schwebte, um die angelehnte Tür mit einer Geste aufzustoßen, die durchaus bühnentauglich wirkte.

Das Innere der Wohnung unterstrich die Illusion, sich in einem Theater zu befinden. Die schweren dunkelroten Samtvorhänge waren glücklicherweise von den Fenstern zurückgezogen und ließen helles Tageslicht ins Zimmer fließen. Hier und da zierten verblichene Plakate von lange vergessenen Varieté-Vorstellungen die Wände. Alles in dem Raum schien Requisite zu sein. Es wirkte zusammengewürfelt und durchweg sehr farbenfroh. Überall standen üppige Gestecke aus Plastikblumen. Lina ließ sich, ein wenig erschlagen von dem ungewöhnlichen Ambiente, in einen voluminösen Plüschsessel sinken, während sie Frauke einen vielsagenden Blick zuwarf. Diese sah sich jedoch gerade ganz entspannt um und lächelte die alte Dame freundlich an.

„Darf ich Ihnen vielleicht etwas anbieten? Ich hab ja so selten lieben Besuch. Dürfen Sie ein Likörchen oder doch lieber einen Filterkaffee und ein paar Kekse?“ Sie hüpfte ungeduldig von einem Bein auf das andere, während sie abwartend in der Tür stand.

„Nein, danke sehr, Frau Teerhoff! Bitte nehmen Sie doch einen Moment Platz. Wir müssen mit Ihnen sprechen. Es geht um Ihre Schwester Juliane Bakkermann." Die Hauptkommissarin befürchtete einen Nervenzusammenbruch der Frau, sobald sie vom Tod ihrer Schwester erfuhr. Frauke trat einen Schritt auf die bunte Gestalt zu, nahm sie einfach bei der Hand und zog sie zum Sofa. Dort hockte sie sich neben die Frau ohne ihre Hand loszulassen.

„Meine kleine Schwester Jule, unser Sorgenkind, meinen Sie", flüsterte Frau Teerhoff nun mit betrübtem Blick. „Was hat sie denn jetzt wieder angestellt? Seit einiger Zeit trinkt sie doch keinen Tropfen Alkohol mehr, und es ist besser geworden. Sie hat mir fest versprochen, dass sie in diesem Herbst von der Straße Abschied nimmt und zu mir zieht."

„Frau Teerhoff, ich muss Ihnen leider die traurige Nachricht überbringen, dass Ihre Schwester Juliane Bakkermann verstorben ist. Es tut mir sehr leid!" Lina beobachtete die Reaktion der Frau auf die traurige Nachricht sehr genau. Sie war Frauke dankbar für die Empathie, die diese so offen auslebte. Für sie selbst waren Gespräche mit den nächsten Angehörigen von Gewaltopfern immer noch grenzwertig.

Die Schwester der Toten wirkte zunächst sehr gefasst. Sie schaute verständnislos zwischen den beiden Kriminalbeamtinnen hin und her.

„Irren Sie sich auch nicht? Jule war doch viel jünger als ich und eigentlich erstaunlich gesund. Vielleicht hat eine andere Obdachlose ihren Ausweis gemopst, und sie ist es gar nicht?“ Hoffnung flackerte in den hellen Augen auf.

„Die abschließenden Ergebnisse der Pathologie stehen natürlich noch aus. Ich meine damit vor allem die DNA-Analyse, die uns gewiss absolute Sicherheit über die Identität geben wird. Aber es ist höchstwahrscheinlich, dass es sich um Ihre Schwester handelt. Sie könnten dazu beitragen, die ganze Sache zu erhellen.“ Lina kramte bereits in ihrer Tasche nach der Halskette, die am Brandort gefunden worden war.

„Kann ich Jule – oder wen sie dafür halten - einmal anschauen, also identifizieren, wie das bei Ihnen heißt?“, bat die Schwester nun flehend, wobei sie auch noch Fraukes andere Hand ergriff und innig drückte.

„Es ist leider unmöglich, Frau Teerhoff“, verneinte Lina und hielt ihr das Schmuckstück in dem Plastikbeutel hin. „Gehörte diese Kette vielleicht Ihrer Schwester?“

Die Frau fixierte das Indiz vom Tatort und brach so plötzlich in ein lautes Heulen aus, dass Lina erschreckt zusammenzuckte. Die Polizistin nahm Beatrice Teerhoff sofort in den Arm und redete leise beruhigend auf sie ein. Es dauerte eine Weile ehe sich ein von zerlaufener Schminke total verschmiertes Gesicht von Fraukes uniformierter Schulter erhob, um Frau Eichhorn tränennass anzustarren.

„Die Kette war das einzige, was Jule von Robert, ihrem Lebensgefährten, behalten hatte. Die war ihr heilig. Niemals hätte sie die verkauft oder weggeschenkt, wenn es ihr auch noch so dreckig ging. Diese Kette war so ungefähr für sie, wie ein Ehering, den sie von Robert leider nie bekommen hatte. Weil sie nicht seine legitime Ehefrau war, konnten seine herzlosen Kinder sie nach Roberts Tod einfach vor die Tür setzen. So ist Jule schließlich auf der Straße gelandet.“ Sie schluchzte laut auf und drehte nervös zwei goldene Ringe an ihrer Hand. „Ich bin auch seit Januar Witwe. Jule hätte jetzt endlich zu mir ziehen können, wo mein Helmut nicht mehr ist. Er mochte meine kleine Schwester nicht besonders. - Vielleicht war es Eifersucht? Ich hab sie immer geliebt wie ein eigenes Kind.“

Nun vergrub Frau Teerhoff das Gesicht in beiden Händen und weinte erneut jämmerlich. Bis Frauke ihr die Hand auf die Schulter legte und sanft auf sie einredete: „Beatrice, bitte beruhigen Sie sich doch. Es würde zur Aufklärung von Jules Tod beitragen, wenn Sie uns etwas über die persönlichen Beziehungen und die Verhältnisse, unter denen sie zuletzt lebte, erzählen könnten. Wäre Ihnen das möglich, oder sollen wir an einem der nächsten Tage wiederkommen?“

Die Frau hob langsam den Kopf, kramte aus den Tiefen ihrer Röcke ein umhäkeltes Stofftaschentuch hervor, wischte die rußigen Tränen sorgfältig aus ihren Augen und schnäuzte sich herzhaft.

„Wie ist meine Kleine denn nun gestorben? Hatte sie einen Unfall? Sie hat schon früher nie nach links und rechts geschaut.“ Beatrice Teerhoff sprach jetzt so leise, als habe sie alle Kraft verlassen. Frauke drückte erneut mitfühlend ihre Hände.

„Den genauen Hergang müssen wir leider noch ermitteln. Wir stehen noch ganz am Anfang. Die sterblichen Überreste Ihrer Schwester wurden in einem völlig abgebrannten leer stehenden Haus in einem Stadtteil von Emden gefunden. Nur ihre Wertsachen blieben durch Zufall unversehrt. Die werden Ihnen selbstverständlich ausgehändigt, sobald unsere Spurenanalyse abgeschlossen ist“, erklärte die Hauptkommissarin, vorsichtig darum bemüht, die verstörte Frau nicht noch weiter zu erschrecken.

„Verbrannt ist die Jule? Das ist ja schrecklich! Wie konnte das passieren? Hat sie dort mit ihren seltsamen Kumpanen ein Feuerchen gemacht?“ Sie blickte nun ganz verwirrt zwischen Frauke und Lina hin und her.

„Wie meinen Sie das mit den Kumpanen? Kennen Sie vielleicht Leute, mit denen Ihre Schwester nähere Beziehungen pflegte? Es würde uns weiterhelfen, wenn wir ihre letzten Stunden rekonstruieren könnten“, versuchte Frau Eichhorn ihr Glück.

„Ja, *kennen* ist ein bisschen viel gesagt! Sie hat mir hin und wieder von einigen Bekannten erzählt, die sie von der Straße kannte. Aber die Namen sind meistens Spitznamen – ob Sie damit was anfangen können? Ich weiß auch nur, dass sie viel herumgekommen ist. Früher war sie sehr oft in Oldenburg, vor allem im Winter. Im Hochsommer zog es sie gewöhnlich in die hübschen Ferienorte an der Küste. Seit ein paar Wochen hielt sie sich aber in Emden auf. Der dauernde

Regen setzte ihr zu, meinte sie, als sie mit mir telefonierte."

Mit viel Einfühlungsvermögen erhielten die beiden Beamtinnen dann noch einige Auskünfte, die ihnen vielleicht weiterhelfen könnten. Jule hatte ziemlich regelmäßig alle paar Tage mit ihrer Schwester Beatrice telefoniert. Vor allem seit diese auch Witwe geworden war.

Lina notierte sich die Namen: Anton, Fiddi, Professor und Alice. Das waren, soweit Beatrice Teerhoff sich erinnerte, andere Obdachlose zu denen ihre Schwester in engerer Beziehung gestanden hatte. Das würde noch einiges an Ermittlungsarbeit erforderlich machen. Die Obdachlosen-Szene war ein sensibler Bereich und eine eigene Welt. Das wusste Lina bereits aus Oldenburg. Sie würden Unterstützung von der Schutzpolizei benötigen, wenn sie dort etwas herausfinden wollten.

10. Hintergründe

Die Befragung von Beatrice Teerhoff hatte länger gedauert, als von Lina eingeplant. Die Frau hatte irgendwann angefangen von ihrer Zeit als tingelnde Künstlerin zu erzählen. Frauke hatte ihr ganz fasziniert zugehört und den farbenfrohen Erinnerungsbericht noch durch Fragen angeheizt. Sodass der Sommerabend nun, trotz des halsbrecherischen Fahrstils, schon spürbar fortgeschritten war, als sie Emden wieder erreichten.

Frau Eichhorn verzichtete spontan darauf, ihr Büro aufzusuchen, sondern ließ sich in der Nähe ihres Quartiers absetzen. Gemütlich schlenderte sie ein paar Meter unter hohen alten Bäumen die Straße entlang, bis sie das vertraute rot verklinkerte Haus erreichte. In einigen Fensterscheiben spielte das warme Licht der sanften Abendsonne mit malerischen Reflexionen. Die Geschäfte hatten bereits geschlossen, deshalb bewegten sich nur einzelne Fußgänger und Radfahrer. Der Autoverkehr schien fast gänzlich eingeschlafen zu sein.

Lina spürte einen tiefen Frieden, was sie verwundert zur Kenntnis nahm. Als sie Grothes Wohnung betrat, umfing sie eine beruhigende

Stille. Die neugierige Nachbarin von gegenüber, die sie bei ihrem früheren Aufenthalt kennenlernen durfte, hatte ihr glücklicherweise nicht aufgelauert. So schloss sie erleichtert die Tür, entledigte sich ihrer Schuhe und der Jacke, um fürs erste auf die bequeme Couch im Wohnzimmer zu sinken.

Sie massierte ihre malträtierten Füße, die den ganzen Tag in viel zu unbequemen Schuhen gesteckt hatten. Ab morgen würde sie nur noch ihre Sneakers tragen. Die Dienstwaffe ruhte gesichert neben ihrem Mobiltelefon vor ihr auf dem Tisch. Sie beschloss sich einen Tee zu kochen und dazu eine Scheibe Graubrot mit Käse zu essen. Fürs Wochenende hatte sie die nötigsten Lebensmittel mitgebracht, weil sie nicht davon ausgehen konnte, Zeit zum Einkaufen zu finden. Frisch gestärkt wollte sie dann alle Fakten zu dem neuen Fall nochmal durchgehen und die weitere Vorgehensweise überdenken.

Während sie in der Küche mit dem Abendbrot beschäftigt war und zu einer bekannten Melodie aus dem Radio leise mit summte, klingelte ihr Telefon. Sie stellte die Teekanne auf das Stövchen und spurtete mit einem kleinen Seufzer ins Wohnzimmer, um das Gespräch anzunehmen.

Es war ihr alter Herr, der Sehnsucht nach seiner einzigen Tochter verspürte.

„Hallo, Big Boss, alles bei dir okay? Hast du die peinliche Niederlage des HSV inzwischen überwunden? Tut mir so leid, dass wir keinen wirklich unbeschwerten gemeinsamen Tag hatten.“ Da sie wusste, dass dieses Gespräch länger dauern würde, ließ sie sich in einen Sessel sinken und legte die müden Beine auf den niedrigen Tisch.

„Ach, hör‘ mir nur damit auf, Eichhörnchen! War ja nicht deine Schuld, dass die das nicht geschafft haben. Derbys haben immer eine eigene Dynamik, sag ich dir. Da kann man nichts voraussehen. Die Saison fängt ja grade mal an, da ist für den HSV noch alles drin. Du wirst sehen, im nächsten Jahr steigen die wieder auf in die erste Liga!“ Lina war beruhigt, dass ihr Vater die Sache inzwischen positiv sah.

„Ich drücke jedenfalls die Daumen“, bestärkte sie ihn. „Ich hatte dir doch schon erzählt, dass ich wieder mal für ein bis zwei Wochen in Emden arbeite. Zwischendurch kann ich dich aber höchstwahrscheinlich trotzdem besuchen. Die Wäsche macht aber solange die nette Frau Evers für dich. Die kennst du noch vom Anfang des Jahres, als ich das wegen der Unterbesetzung in der Dienststelle nicht schaffen konnte. Ist doch für dich in Ordnung, oder stört es dich?“

„Ich merke da keinen Unterschied, wer meine Wäsche macht“, brummelte er ein bisschen beleidigt. Dann besann er sich aber plötzlich der Tatsache, dass seine Lina in Emden an einem neuen Fall arbeitete. „Was ist das denn nun für eine Angelegenheit, weshalb die Ostfriesen nicht allein klarkommen und dich unbedingt so dringend brauchen?“

„Oh, du weißt, dass ich eigentlich mit niemandem darüber sprechen darf“, foppte ihn Lina kurz. Sie wusste schließlich, dass alle Geheimnisse bei dem pensionierten Polizeibeamten bestens aufgehoben waren. „Es geht um eine Obdachlose, die in einem leer stehenden baufälligen Haus verbrannt ist. Wir haben fast unversehrte Papiere gefunden, aber ihr Kopf fehlt. Ob das nach dem Brand passiert ist oder vorher ist noch unklar. Könnte aber auf ein Tötungsdelikt schließen lassen.“

Der Alte schwieg für einen Moment. Dann meinte er: „Das Problem mit der Obdachlosigkeit soll zugenommen haben. Die Wohnungen werden auch immer teurer. Wir hatten damals hier in Oldenburg aber auch schon damit zu tun. Ich kannte eine Reihe von den armen Menschen näher. Viele waren Alkoholiker und kamen deshalb nicht mehr auf die Beine, sondern immer wieder mit dem Gesetz in Konflikt. Aber wir haben auch einige aus der Scheiße holen können. Du musst wissen, da gab es ein paar ganz fixe Sozialarbeiter, die haben Unwahrscheinliches geleistet."

„Das Brandopfer hieß Juliane Bakkermann. Sie lebte schon lange Jahre auf der Straße. Soll sich früher auch teilweise in Oldenburg aufgehalten haben." Lina kam in den Sinn, dass er die Frau vielleicht kannte.

„Die kleine Jule? Das ist doch nicht möglich! Die kannte ich wirklich gut. Das war ein liebes Mädchen, zu schade für diese Welt – wie man so sagt. Die wurde einfach auf die Straße gesetzt, war nicht ihre freie Entscheidung. Sie mag so Ende zwanzig, Anfang dreißig gewesen sein und genauso hübsch wie naiv. Ich dachte mir sofort, dass das böse mit ihr enden würde, als sie das erste Mal bei einem Ladendiebstahl erwischt wurde. Später war sie in die Hände von so einem brutalen Zuhälter geraten. Mir will der Name gerade nicht einfallen. Dadurch kam sie dann zum Alkohol. War nicht mit anzusehen, wie das bergab ging mit dem Mädel."

„Das ist gut, dass du sie gekannt hast. Ein einzigartiger Glücksfall! Weißt du noch mehr Einzelheiten, oder hast du sie schnell aus den Augen verloren?“, fragte die Hauptkommissarin aufgeregt.

„Ich muss ein wenig überlegen, das Alter, du weißt“, frotzelte er. „Doch, ich erinnere mich, dass Jule in das Projekt von den Sozialarbeitern aufgenommen wurde. Sie kam von dem Luden weg und soviel ich weiß sogar vom Alkohol. Aber nachdem dies tolle Projekt den Budget-Kürzungen zum Opfer fiel, hatte ich nicht mehr mit ihr zu tun. Kurz danach bin ich dann auch in Pension gegangen.“

„Das ist immerhin etwas und deckt sich mit dem, was die Schwester uns berichtet hat. Jule soll zuletzt zwar auf der Straße gelebt aber nicht mehr getrunken haben.“ Lina sprach wie zu sich selbst, während sie ihre Gedanken zu ordnen versuchte.

„Es gibt Menschen, die auf der Straße leben und keine Alkohol- oder Drogensucht haben. Es kommt selten vor aber doch immerhin. Manch einer von den Obdachlosen hat ein unwahrscheinliches Talent entwickelt, sein Leben außerhalb der Gesellschaft zu organisieren. Im Winter ist das oft grenzwertig, aber es bedeutet auch absolute Freiheit. Viele von ihnen haben mit Behörden schlechte Erfahrungen gemacht. Die scheuen die Bürokratie wie der Teufel das Weihwasser." Der alte Herr lachte bitter. „In Deutschland ist's mit dem Formularkram ja besonders schlimm. Das erfahren wir doch auch jeden Tag, nicht wahr, Eichhörnchen?"

Die Hauptkommissarin stimmte ihm lächelnd zu. Ihr waren die schriftlichen Formalitäten, die ihre Arbeit zwanghaft begleiteten, immer ein Dorn im Auge gewesen. Wie sollten Menschen, die Schriftkram nicht gewöhnt waren, davon nicht abgeschreckt werden?

Sie selbst hatte bisher wenig Kontakt zu Obdachlosen gehabt. Die Kollegen von der Streife, die viele Arbeitsstunden auf den Straßen der Städte zubrachten, kannten die Verhältnisse dort viel besser. Sie würden ihnen bei den Ermittlungen hilfreich sein.

Lina dankte ihrem Vater für die Informationen, wechselte noch ein paar einfühlsame Worte mit ihm und beendete dann das Gespräch, um ihn nicht zu lange von seinem Fernsehprogramm abzuhalten.

Ihr Tee war auf dem Stövchen etwas zu dunkel geworden. Sie fügte zwei dicke Kluntje hinzu und etwas mehr Sahne als gewöhnlich, dann schlürfte sie aus der niedlichen Porzellantasse wie ein naschendes Kätzchen.

11. Anwohnerbefragung

Als Lina Eichhorn am Sonntagmorgen im bequemen Bett des schwerkranken Emder Kollegen aufwachte, sah sie mit Schrecken, dass die Sonne schon ins Zimmer schien. Ihr verwirrter Blick wanderte zu dem Radiowecker auf dem Nachttisch neben ihr und machte ihr klar, dass sie verschlafen hatte. Aus irgendeinem Grund musste der von ihr eingestellte Weckmechanismus nicht funktioniert haben. Sie hatte geschlafen wie ein Baby. Nun brauchte sie ein paar Minuten, um zu sich zu kommen. Nach ausgiebigem Recken und Strecken, rieb sie energisch den Schlaf aus den Augen und stürmte ins Bad. Was sollte Andreas Pantekook von ihr denken, wenn sie erst um halb zehn im Büro erschien?

Frisch geduscht schlüpfte sie in ein paar bequeme Kleidungsstücke, die griffbereit lagen. Dann schenkte sie sich ein großes Glas Wasser ein und trank es in zwei Zügen leer. Auf richtiges Frühstück musste sie verzichten, das war sie dem fleißigen Kollegen schuldig. Im Gehen schnallte sie die Dienstwaffe um, steckte das Smartphone ein und ergriff die leichte Jacke. Dann huschte sie wie ein Mäuschen aus der Tür, um die lästige

Nachbarin nicht anzulocken und flitzte im Laufschritt die Treppen hinunter.

Als sie das Polizeirevier betrat, zeigte ihre Armbanduhr zwanzig Minuten nach neun. Sie war etwas außer Atem und ihr Haar wirkte leicht zerzaust. Also atmete sie hinter der vorgeschriebenen Maske mehrmals tief aus und ein, während sie den Flur entlang zu Grothes Büro eilte. Vielleicht war Andreas noch gar nicht vor Ort, hoffte sie innerlich.

Als sie die Bürotür öffnete, saß es jedoch auf ihrem Stuhl und sah sie - ohne jeglichen Vorwurf - freundlich lächelnd an.

„Moin, Lina, möchten Sie auch einen Kaffee und ein Croissant? Ich komme morgens immer beim Bäcker vorbei.“ Er war schon aufgesprungen, half ihr aus der Jacke und hängte diese sorgfältig auf.

„Danke, das ist lieb von Ihnen“, brachte Lina nur heraus. Sofort war der emsige Kollege verschwunden, um Kaffee und Croissants für sie zu holen. Sie tat einen tiefen Seufzer und sank auf den Schreibtischstuhl. Dann nahm sie die Maske ab, schüttelte ihre Lockenmähne und strich sich einige widerspenstige Strähnen hinter die Ohren. Diese blöden FFP2-Masken machten Abstehlöffel und verdarben jedes Outfit! Hoffentlich war die

Pandemie bald besiegt und damit auch die nervigen Hygiene- und Kontaktvorschriften!

Aber gegen Frühstück wäre eigentlich nichts einzuwenden, dachte sie dann wohlwollend, wieder ein wenig mit der Situation versöhnt.

Wegen der strengen Abstandsregeln, waren die Kriminalbeamten gehalten, möglichst wenig in direkten Kontakt zu treten. Deshalb stellte Andreas ihr das Frühstück nur hin und verschwand wieder in sein eigenes Büro, während sie in Ruhe aß und trank. Danach telefonierten sie miteinander, um die weitere Vorgehensweise abzuklären.

„Ich dachte, dass wir vielleicht im Emder Tagesaufenthalt mit den Nachfragen zu unserer Obdachlosen beginnen könnten“, schlug Andreas vor.

„Das ist eine gute Idee. Wir haben schon ein paar vage Hinweise auf vermutliche Kontaktpersonen und die gewöhnlichen Aufenthaltsorte der Juliane Bakkermann erhalten. Möglicherweise kann uns jemand von den Sozialarbeitern in der Einrichtung weiterhelfen. Für Recherchen im Milieu direkt auf der Straße könnten wir vielleicht die Kollegen von der Streife um Unterstützung bitten?“

„Sicher, das wäre die beste Lösung. Nur der Tagesaufenthalt macht erst wieder am Montagmorgen ab acht Uhr auf. Vorher erreichen wir da niemanden. Was halten sie davon, wenn wir uns in der Siedlung in der Nähe des Tatortes heute näher umsehen. Es ist Sonntag. Da dürften die meisten Leute zuhause sein. Wir können noch zwei Polizisten zur Unterstützung bekommen. Hab ich schon abgeklärt. Wenn Sie einverstanden sind, kann es in zehn Minuten losgehen." Pantekook war voller Tatendrang und stand schon nach fünf Minuten vorschriftsmäßig mit Maske in ihrer Tür.

Sie fuhren in einem Streifenwagen von zwei ziemlich jungen Polizisten begleitet wieder nach Hilmarsum. Diesmal bogen sie aber gleich in die kleine Straße ein, die zu der Siedlung führte. An einem geeigneten Platz stellten sie den Streifenwagen ab und machten sich, jeder mit einem Schutzpolzisten in Uniform an seiner Seite, zur Befragung der Anwohner auf.

Lina wurde von einem schlaksigen hochgewachsenen jungen Burschen mit strohblondem Lockenkopf begleitet. Er wirkte ein wenig schüchtern, vielleicht aber nur, weil sie ihm fremd war, und bestand darauf, mit Vornamen angesprochen zu werden.

„Na, gut, Enno, dann nennen Sie mich aber auch Lina. Abgemacht?“ Die Hauptkommissarin reichte ihm zur Bekräftigung die Hand. Er schüttelte sie ungelenk und lief rot an. Dann brummelte er ein unverständliches „Okay!“ vor sich hin und zupfte verlegen an seiner Uniformjacke.

Frau Eichhorn überging die Situation, indem sie nach ihrem Notizblock kramte. Sollten sie brauchbare Hinweise erhalten, musste sie sich unbedingt einige Stichworte und die Personalien notieren. Sie hatte die geraden Hausnummern übernommen, Andreas mit seinem Kollegen die ungeraden. So vermieden sie Doppelbefragungen und kamen sich nicht in die Quere.

Die Bewohner der Siedlung waren bis auf wenige Ausnahmen zu Hause und gaben bereitwillig Auskunft. Einige befanden sich im Garten, sodass sie die Häuser gar nicht betreten mussten. Alle waren sehr daran interessiert, näheres über den Brand zu erfahren. Also bestand Linas schwierigste Aufgabe eigentlich darin, bei den Gesprächen vorerst keine Ermittlungsergebnisse preiszugeben.

Was die Hauptkommissarin in fast drei Stunden dann wirklich erfuhr, war nicht gerade spektakulär: Niemand hatte was Verdächtiges gesehen.

Viele tippten darauf, dass der Käufer aus Nordrheinwestfalen das Haus selbst angezündet hätte. „Warmer Abriss“ und „Versicherungsbetrug“ waren gern gebrauchte Hinweise. Aber stichhaltige Beweise hatten die Leute keine. Sie kannten nicht einmal den Namen des neuen Eigentümers. Und Fremde hatten sich tagsüber nicht in der Nähe herumgetrieben. Das wäre allen aufgefallen. Mit Einbruch der Dunkelheit hatten sie dann aber weitgehend vor dem Fernseher gesessen.

Nur eine ältere Dame hatte jemanden, den sie nicht genau erkannt habe, mit seinem kleinen Hund vorbeigehen sehen. Er war ihr aufgefallen, weil der Hund nicht laufen wollte, und der junge Mann ihn an der Leine hinter sich her gezerrt habe. Aber die Straßenlaterne stand in einiger Entfernung und der Mann war sehr dunkel gekleidet gewesen. „Es könnte einer von den Jungs von Poppinga gewesen sein. Aber die haben keinen Hund“, meinte die Frau schulterzuckend.

Lina maß dieser Zeugenaussage vorerst keinerlei Bedeutung bei, weil ein Gassi gehender Hundebesitzer ihr nicht besonders spektakulär erschien. Dennoch notierte sie sich dazu einige Stichpunkte. Möglicherweise lediglich aus Frust, weil so wenig bei der Befragung herausgekommen war.

Sie schlenderte hinter dem Polizisten her zum Streifenwagen. Dort mussten sie noch eine Weile auf die beiden Kollegen warten. Zu deren Befragungsbereich gehörte auch ein Bauernhof, der etwas abseits lag.

Enno kramte in seiner Tasche, holte eine Zigarettenschachtel hervor und streckte sie der Hauptkommissarin großzügig entgegen. Als sie dankend ablehnte, zog er die Maske unters Kinn, trat einige Meter zur Seite und steckte sich eine Zigarette an. Während er mit einer gewissen Nervosität rauchte, ließ Lina ihren Blick über die beschauliche Siedlung schweifen.

Der Anblick ist aufgeräumt und friedlich, dachte sie. Der freundliche blaue Himmel mit der lachenden Sonne trug dazu bei, dass eher Gedanken an Urlaub in ihr aufstiegen, als an grausige Verbrechen. Ein Sonntagnachmittag sollte normalerweise genauso sein, wie er sich hier anfühlte!

Dann sah sie Andreas Pantekook vom Ende der Straße mit weitem Ausschreiten auf den Streifenwagen zustreben. Der Polizist, mit einem schweren Cowboy-Gang, flankierte ihn wie ein Bodyguard. Lina musste unwillkürlich grinsen und merkte, dass sie plötzlich richtig gute Laune hatte.

Während die beiden Hauptkommissare im Fond des Einsatzfahrzeuges zum Revier zurück kutschiert wurden, tauschten sie die Ergebnisse der Befragungen aus. Andreas hatte mehrere Anwohner nicht angetroffen. Ansonsten erhielt er ein paar unterschwellige Hinweise auf Jugendliche, die öfters durch Streiche in der Nachbarschaft aufgefallen waren. Er hatte sich die Namen der Familien notiert. Es gab nur eine Handvoll Familien mit Kindern im fraglichen Alter.

„Ich glaube eigentlich nicht, dass es sich hier um einen Lausbubenstreich handelt. Wenn das Haus nur in Brand gesteckt worden wäre, läge diese Vermutung vielleicht nahe. Aber das mit der Leiche wissen die Leute ja noch nicht. Wir müssen unbedingt besprechen, wie wir die Pressemitteilung formulieren sollen“, überlegte Pantekook laut.

Dann unterbrach er seinen Gedanken und verkündete mit der kindlichen Begeisterung, die ihm manchmal zu eigen war: „Auf dem Bauernhof, der etwas abseits liegt, habe ich aber erfahren, dass dort vor zwei bis drei Wochen ein Huhn aus dem Stall gestohlen wurde. Es konnte kein Fuchs gewesen sein, weil die Tür ordnungsgemäß mit einem Riegel geschlossen war. Der Landwirt, Herr Wübbens, berichtete, das sei ihm noch nie zuvor passiert. Die Leute würden selten die Nebengebäude abschließen und manchmal sogar die Hintertüren unverschlossen lassen. Es sei soviel er wisse noch nie etwas weggekommen."

„Ach so, Sie denken an die Hühnerfeder, die wir gefunden haben! Aber, wenn der Diebstahl länger her ist, hat das leider sicher nichts mit dem Brand zu tun", meinte Frau Eichhorn ein wenig betrübt. „Wäre ja sehr schön gewesen, wenn wir wenigstens irgendeine kleine Spur gefunden hätten." Sie seufzte und lehnte sich dann schweigend in den Sitz zurück, um für eine Weile ihren Gedanken nachzuhängen, bis sie auf dem Parkplatz hinter dem Revier ankamen.

12. Im Hospiz

Beim Aussteigen aus dem Streifenwagen klemmte Linas Tür. Noch bevor sie sich darüber beschweren konnte, war Andreas Pantekook um den Wagen geeilt, um ihr behilflich zu sein. Sie fühlte sich plötzlich, wie eine ältere Frau, die überall Hilfe benötigte und bedankte sich deshalb eine Spur zu unwirsch bei ihm. Er schien das nicht zu bemerken, sondern hielt ihr höflich wie gewöhnlich die Eingangstür auf, als sie das Polizeirevier betraten.

„Ich habe ein kleines Attentat auf Sie vor, Lina. Sie müssen aber ehrlich sagen, falls es Sie überfordert!“ Er hatte wieder diesen unterwürfigen Tonfall. Und während sie den leeren Flur entlang gingen, sah die Hauptkommissarin ihn misstrauisch von der Seite an und wartete stumm ab.

„Oliver würde Sie sehr gern kennenlernen. Ich habe soviel von Ihnen erzählt, dass er neugierig geworden ist. Und ich dachte, weil er dort in dem Hospiz doch nicht mehr so viel Abwechslung hat, könnten wir ihn mal kurz besuchen?“

Sie wusste selbst nicht genau, was sie erwartet hatte aber das ganz gewiss nicht! Etwas hilflos blieb sie nun vor der Tür zu ihrem Büro stehen und blickte nachdenklich zu Boden.

„Wenn es Ihnen zu viel ausmacht, einen schwerkranken Mann zu besuchen, den Sie ja außerdem überhaupt nicht kennen, sagen Sie es einfach! Ich kann Ihnen aber versichern, dass dieses private Hospiz sehr wenig mit einem Krankenhaus oder einem gewöhnlichen Pflegeheim gemeinsam hat. Die Atmosphäre ist dort vollkommen anders – geradezu positiv." Er sah sie so flehend an, als sei sie seine letzte Rettung.

„Nein, Berührungsängste habe ich in dieser Hinsicht eher keine. Und wenn Ihr Kollege mich gern kennenlernen möchte, hat er jedes Recht dazu. Ich benutze ja schon zum zweiten Mal seine hübsche Wohnung und bin wirklich auch ein wenig neugierig auf ihn", antwortete Lina nun wieder etwas verbindlicher gestimmt. „Ich möchte mich nur vorher ein bisschen frisch machen und umziehen. Haben wir soviel Zeit?"

Der Stein, welcher Pantekook vom Herzen fiel, war fast physisch wahrnehmbar. Der Mann strahlte sofort wie ein Honigkuchenpferd.

Dass er keinen Jubelschrei ausstößt, ist direkt auffällig, dachte Lina schmunzelnd. Dann packte sie ihre Sachen zusammen und verschwand zügig zu Grothes Wohnung. Andreas Pantekook wollte sie später am Nachmittag dort abholen.

Obwohl Lina ihren eigenen Vater im Altenheim oft besuchte, und sie viele betagte Menschen erlebt hatte, die nur noch auf den Tod zu warten schienen, überkam sie bei den Vorbereitungen zum Besuch in dem Hospiz jetzt ein beklemmendes Gefühl.

Sie überlegte, ob sie Oliver Grothe irgendetwas mitbringen müsste. Aber sie kannte ihn schließlich nicht persönlich. Aus seiner umfangreichen CD-Sammlung und den vielen Büchern, die eine ganze Wand in seinem Schlafzimmer einnahmen, hatte sie bereits auf einen vielseitig interessierten Menschen geschlossen, der einen exzellenten Geschmack besaß.

Bei ihrem ersten Aufenthalt in der Wohnung des kranken Dienststellenleiters hatte sie sich dabei ertappt, vor ihrem inneren Auge ein Bild dieses großzügigen Unbekannten zu erstellen und sich gewünscht, ihn persönlich kennenzulernen. Er hatte sie interessiert und auch ein wenig verunsichert, weil er nicht in die üblichen Schemata zu passen schien. Nun sollte ihr Wunsch auf eine Weise in Erfüllung gehen, die sie verstörte. Der Mann war dem Tode geweiht, und alle wussten das. Wie sollte sie als fremde Besucherin damit umgehen?

Während sie sich mit den seltsamen Gefühlen plagte, hatte sie fast mechanisch eine Kleinigkeit gegessen, sich frischgemacht und war in eine konservative weiße Bluse geschlüpft, die sie mit einer schwarzen Hose kombinierte. Ihre kurze Jacke war mausgrau, und im Dielenspiegel wirkte sie, bis auf ihr kräftig braunes lockiges Haar, ziemlich farblos.

Na, hoffentlich ist das ein passendes Outfit, um einen sterbenden Menschen zu besuchen, dachte sie kritisch, während sie mit dem Lippenstift einen Hauch Farbe in ihr Gesicht zauberte. Dann klingelte Pantekook auch schon an der Tür, und sie lief eilig nach unten.

Auf der Fahrt in Richtung Norden, erklärte Andreas ihr, dass Oliver sehr gelassen mit seinem Sterben umgehe.

„Ich hab noch nie jemanden erlebt, der Angesichts des Todes derart abgeklärt war. Und mit dem Tod haben wir Kriminalbeamte schließlich häufig zu tun. Ich selbst habe außerdem meine Frau vor fast zehn Jahren an einer schweren Krankheit verloren. Wir hatten damals große Probleme die schreckliche Wahrheit zu verkraften und einander loszulassen. Es war zu schmerzhaft zu akzeptieren und natürlich auch viel zu früh. Und bei Grothe ist es auch zu früh. Aber vielleicht ist es das ja immer?“ Pantekook blickte starr auf die Straße und schwieg nun eine ganze Weile. Lina unterbrach die Stille nicht mit irgendwelchen Plattheiten. Sie hatte auf das Sterben keine brauchbaren Antworten. Egal, ob ein Unfall, eine Krankheit oder ein Gewaltverbrechen vorausgegangen waren, der Tod blieb in seiner Endgültigkeit unfassbar.

Das Hospiz lag auf der Strecke nach Norden in einem verschlafenen Ort. Sie fuhren auf den Parkplatz, der um diese Uhrzeit beinahe verlassen wirkte. Besuche waren im Gesundheitsbereich wegen der Corona-Bedingungen stark eingeschränkt worden. Es wunderte Lina, dass das offenbar für dieses Hospiz nicht galt. Aber sie war sicher, dass Pantekook dies alles abgeklärt und vorbildlich geregelt hatte. Sie betraten den Eingangsbereich mit den vorschriftsgemäßen Masken und wurden sehr freundlich empfangen.

Überhaupt wirkte das Gebäude nicht wie ein Krankenhaus und auch nicht wie das Altenheim, in dem Linas Vater untergebracht war. Es roch weder penetrant nach Desinfektionsmitteln noch nach Urin, stellte Lina dankbar fest. Die Wände waren in freundlichen Farben gestrichen. Die aufgehängten Bilder bestanden nicht aus den üblichen langweiligen verblichenen Drucken, sondern aus kleinen Kunstwerken, die offenbar von schwerkranken Menschen angefertigt waren. Hinter den Bild-Signaturen standen die Todesdaten. Lina bewunderte die Kreativität und Vielseitigkeit der Objekte, die durchaus Lebensfreude ausstrahlten.

Sie folgten einer gepflegten Dame in normaler farbenfroher Kleidung durch einen Gang bis zu Oliver Grothes Zimmer. Unterwegs passierten sie eine Glastür. Dahinter lag ein freundlich eingerichteter Aufenthaltsraum, der mit großen Fenstern einen Blick auf die geschmackvoll gestaltete Außenanlage ermöglichte. Dann erreichten sie die Zimmertür. Die Dame klopfte dezent und betrat den Raum erst nach Aufforderung. Sie kündigte die Besucher an, ließ sie mit einem liebenswürdigen Nicken eintreten und zog sich dann unauffällig zurück.

Das Zimmer hatte eine ebenso ansprechende Atmosphäre wie die gesamte Abteilung. Die Betten waren mit bunter Wäsche überzogen. Es gab zwei geschmackvolle bequeme Sessel und einen kleinen Tisch im Zimmer. Ein moderner Flachbildschirm hing an der Wand dem Bett gegenüber. Er war ausgeschaltet. Aus einer Musikanlage hörte sie leise unaufdringliche Klänge. Die Fensterdekoration wirkte wie in einem normalen Zuhause. Es standen sogar lebendige Blühpflanzen auf der Fensterbank, die noch keine Anzeichen von Vernachlässigung zeigten. Lina war erstaunt und beeindruckt.

Während Pantekook seinen Dienststellenleiter freundschaftlich begrüßte, hatte sie ausreichend Gelegenheit sich die Umgebung anzusehen und unter der behindernden Maske tief durchzuatmen, damit sie der Begegnung gewachsen war.

Dann stellte Andreas sie vor. Während sie an das Pflegebett herantrat, überkam sie ein gewaltiger Schrecken. Der totkranke Mann wirkte wie ein Skelett, das von gelblicher pergamentartiger Haut überzogen war. Nur seine Augen waren lebendig. Sie stachen übergroß und glänzend aus dem einem Totenkopf ähnelnden Gesicht hervor und blickten sie mit einer so ehrlichen Freude an, dass ihr beinahe die Tränen kamen. Seine gefärbten Haare wirkten einwandfrei gepflegt und penibel frisiert. Was bei seiner dauernden Bettlägerigkeit doch einigermaßen erstaunte.

Sie nahm vorsichtig seine ausgestreckte zerbrechliche Hand in ihre und drückte sie sanft.

Seine Stimme war schwach aber von einem melodischen Klang, der etwas tief in ihrem Innern berührte.

„Ich freue mich so sehr, dass ich Sie nun doch noch persönlich kennenlernen darf, liebe Frau Eichhorn. Andreas hat nur in den höchsten Tönen von Ihnen geschwärmt. Das hat mich ungeheuer neugierig gemacht. Danke sehr, dass Sie gekommen sind.“ Er schluckte und sank erschöpft in sein Kissen zurück.

Sofort sprang Andreas hinzu, um ihm ein Wasserglas zu reichen. Vorsichtig nahm der Kranke einen Schluck, dann gab er sein Glas mit dankbarem Blick zurück.

Erneut an Lina gewandt, die sich einen der Sessel in die Nähe des Bettes gezogen hatte, bemerkte er mit einem kleinen Schmunzeln: „Nun, Andreas hat in einem Punkt nicht übertrieben. Sie sind eine bemerkenswerte und ausgesprochen attraktive Frau. Auch wenn ich für Frauen eigentlich nicht der Spezialist bin und diese Maske leider einen wesentlichen Teil Ihres schönen Gesichtes verbirgt. In meinen Augen macht Sie das aber besonders geheimnisvoll. Ich liebe alles, was die Fantasie anregt.“

Lina errötete bis unter die Haarwurzeln. Der Charmeur alter Schule hatte offenbar nichts von seiner Befähigung eingebüßt! Sie versuchte sich an einem freundlichen Lächeln, das ihre Augenpartie mit einbezog, damit es für ihr Gegenüber wahrnehmbar wurde.

Welch großer Verlust es für seine Freunde und Angehörigen sein würde, wenn dieser eloquente Mann starb, vermochte sie in diesem traurigen Moment nur zu erahnen. Sie senkte verlegen den Blick. Glücklicherweise übernahm in diesem beklemmenden Augenblick Andreas Pantekook geschickt die Gesprächsführung. Er zog verschwörerisch eine Packung Zigarillos aus seinem Jackett.

„Ich hab auch an deine kleine Sucht gedacht, Oliver. Möchtest du jetzt eine smoken? Ich kann ja das Fenster weit öffnen." Als sein ehemaliger Chef lächelnd nickte, sprang er zum Fenster und riss einen Flügel weit auf. Dann wandte er sich entschuldigend an seine Kollegin: „Das Rauchen wird hier stillschweigend geduldet. Schließlich nützt es bei den Sterbenden nichts mehr, ihnen ihre kleinen Sünden zu verbieten. Es muss nur ausreichend gelüftet werden. Wir hoffen, Sie haben nichts dagegen, wenn Oliver für einen Augenblick seinem Laster frönt?" Als Lina zustimmend nickte, zündete Pantekook für den Sterbenden einen Zigarillo an und steckte ihn in einer vertrauten Geste zwischen seine spröden Lippen.

Lina bemerkte sofort, dass Andreas und Oliver mehr als ehemalige Kollegen waren. Es gab zwischen ihnen ein wortloses Einvernehmen, was sie nur bei langjährigen Freunden je beobachtet hatte oder bei älteren Ehepaaren.

Sie war dankbar, dass sie diese wichtige Information aus direkter Quelle bekam. So konnte sie nun einordnen, welcher emotionalen Belastung, während der schweren Erkrankung seines Chefs und besten Freundes, der Hauptkommissar ständig ausgesetzt war.

Ein Hustenanfall Olivers riss sie aus ihren Überlegungen. Andreas sprang ihm sofort zur Seite, ergriff den Zigarillo und reichte dem Kranken wiederum sein Wasserglas. Nachdem Herr Grothe einige kleine Schlucke genommen hatte, bat er seinen Freund den Zigarillo auszudrücken.

„Wirf ihn aus dem Fenster. Die Büsche stört das bisschen Tabak nicht. Ich möchte die kostbare Zeit mit unserer wunderbaren Frau Eichhorn nicht hustend vergeuden.“ Er versuchte sich etwas aufrechter in sein Kissen zu lehnen, wobei ihm Andreas selbstverständlich zur Hilfe kam.

Lina lächelte ihm freundlich zu. Die Komplimente eines Sterbenden waren wahrscheinlich ernst gemeint, vermutete sie, alle ihre üblichen Vorbehalte gegen derartige Schmeicheleien konsequent zur Seite schiebend.

„Sie schmeicheln mir übermäßig, Herr Grothe. Und obwohl Sie mich gar nicht wirklich kennen, haben Sie mir großes Vertrauen entgegengebracht, indem Sie mir Ihre wunderhübsche Wohnung zur Verfügung stellten. Ich möchte Ihnen ausdrücklich dafür danken. Ich fühle mich in Ihren vier Wänden ausgesprochen wohl und geborgen. Das kann sich auf unsere Arbeit nur positiv auswirken."

Er hob seine Augenbrauen in leichtem Erstaunen und antwortete dann mit einem Anflug von Sarkasmus in der leisen Stimme: „Liebe Lina, ich darf Sie doch so nennen? Ich denke einem Sterbenden werden Sie die kleinen Vertraulichkeiten nachsehen? Ich kann Ihnen wirklich nicht mehr gefährlich nahe kommen. Davon abgesehen bin ich schon immer schwul gewesen." Er warf einen fragenden Blick in Richtung Pantekook. „Wahrscheinlich hat Andreas Sie bereits darüber aufgeklärt? Ich habe daraus nie ein Geheimnis gemacht.“ Mit einem tiefen Seufzen holte er Atem, während sein Freund nur mit den Schultern zuckte und die Hauptkommissarin die Szene forschend beobachtete.

Dann begann er von seinen schönen Reisen zu berichten, bis er sich überraschend nach einer längeren Atempause wieder an Lina direkt wandte: „Ich nehme Sie als eine distanzierte Frau wahr. Darf ich das einfach mal so in den Raum stellen? Sind Sie glücklich mit Ihrem Leben? Nicht mit der Arbeit bei der Kripo, meine ich. Damit kann ein gefühlvoller Mensch eigentlich nur seine Probleme haben.“ Er zwinkerte Andreas zu, was mit seinen knochigen Gesichtszügen grotesk wirkte.

„Nein, ich meine Ihr Privatleben. Sie sollten darauf achten, dass Sie in Harmonie mit sich und Ihren Lieben leben! Ich möchte hier nicht schulmeistern, aber ich hatte viel Zeit, um über das Leben und das Sterben nachzugrübeln. Sehen Sie mir meine leicht philosophische Anwandlung deshalb bitte nach! Am Ende zählen nur die Menschen, die unser Leben begleitet haben. Wenn wir sie nicht geliebt haben, ist die Zeit beinahe vergeudet gewesen.“ Ihm traten nun Tränen in die Augen. Er wischte sie mit dem knochigen Handrücken fort. Dann drückte er Pantekooks Unterarm mit einer innigen Geste. Der beugte sich zu seinem Freund und streichelte seine hohle Wange. Lina bemerkte, dass den Kranken die Kraft verließ.

Seine Stimme klang atemlos, als er weitersprach: „Geht nun, Ihr beiden! Löst euren schwierigen Fall, und vertragt euch gut miteinander!" Wieder schmunzelte er und zwinkerte den beiden Hauptkommissaren zu. „Genießt das Leben, wie es sich euch präsentiert. Lasst keine einzige Erfahrung aus, die Ihr machen könnt. Vielleicht sehen wir uns niemals wieder, aber wir sind einander begegnet – und das ist das einzige was zählt!"

Lina und Andreas reichten Grothe zum Abschied die Hände. Dann verließen sie das Sterbezimmer mit beklommenen Gefühlen.

Vor Linas innerem Auge stiegen lange verschüttete Bilder ihres verstorbenen Lebensgefährten auf. Er hatte sich vor vielen Jahren unvermittelt bei einer Bergwanderung das Leben genommen, nachdem er von seinem Arzt eine tödliche Diagnose erhalten hatte. Sie grübelte erneut über seine vorschnelle einsame Entscheidung nach. Vielleicht hätte er eine Chance gehabt, mit der

Krankheit noch einige Zeit zu leben? Dann hätte ihre gemeinsame Tochter Carina wenigstens in aller Ruhe von ihm Abschied nehmen können und würde ihn heute nicht für seine Tat verdammen.

Endlich traten die beiden Kollegen hinaus in den milden Sommerabend und nahmen beide erleichtert die Masken ab.

Lina atmete tief durch. Sie fühlte sich plötzlich von einer Last befreit und genoss auf seltsame Weise ihre Lebendigkeit. Strammen Schrittes machte sie sich zu Andreas parkendem Wagen auf den Weg, mit dem beide zügig zurück nach Emden fuhren.

13. Tagesaufenthalt

Montagmorgen waren Andreas Pantekook und Lina Eichhorn bereits um Punkt acht Uhr vor dem Tagesaufenthalt in Emden verabredet. Lina war zu Fuß dorthin spaziert, da es nur einige Straßen von ihrer Wohnung entfernt war, und sie so den frischen Spätsommermorgen genießen konnte. Die Tage wurden bereits wieder kürzer. Und mit dem schwindenden Licht schwängerte das unverwechselbare Aroma des Herbstes bereits die Luft. In Norddeutschland war der Sommer kurz. Alle übrigen Jahreszeiten wuchsen dann im ungünstigsten Fall zu einer langen Schmuddelzeit zusammen.

Zwei Obdachlose, die auf zwei alten Stühlen neben dem Eingang zum Tagesaufenthalt kauerten und sich eine Kippe oder einen Joint und eine Flasche Bier teilten, schauten ihr teilnahmslos entgegen. Da hielt auch schon ihr Kollege mit seinem Wagen neben ihr an. Sie begrüßten sich und gingen zügig in das ältere Haus, dessen Eingangstür einladend offen stand.

Drinnen sahen sie einige Menschen an Tischen hocken. Vor ihnen standen dampfende Kaffeebecher. Ein jüngerer Mann mit langem blondem Haar kam ihnen neugierig entgegen.

„Hallo, was kann ich für Sie tun? Ich bin Carsten. Ich hab heute hier Dienst“, sagte er und streckte freundlich die Hand aus. Mund und Nase waren vorschriftsmäßig hinter einer medizinischen Maske verborgen, aber die großen blauen Augen blickten sie sehr offen an.

Pantekook stellte sie beide vor, und sie zeigten ihre Ausweise. Dann lotste der Diensthabende sie in ein kleines Büro, damit sie ungestört sprechen konnten.

„Kennen Sie eine Juliane Bakkermann?“, fragte die Hauptkommissarin einfach darauf los. Der junge Mann stutzte, lächelte ein wenig verstört und antwortete schmunzelnd: „Ja, Sie meinen gewiss die alte Jule. Die kommt schon seit Jahren immer mal für einige Tage hier vorbei. Aber in diesem Sommer – wenn man das den Sommer nennen kann – ist sie ausnahmsweise schon längere Zeit in Emden. Das macht der Regen. Da suchen die meisten unserer Kunden ein trockenes Plätzchen. Und unser Kaffee ist auch nicht der schlechteste. Ich kann Ihnen einen anbieten, wenn Sie gern möchten.“

Sie lehnten beide dankend ab. Es war ihnen wichtig, schnell zur Sache zu kommen.

„Können Sie uns vielleicht sagen, wann Sie Frau Bakkermann zuletzt hier gesehen haben und ob sie zu einem anderen Ihrer Kunden in einer näheren Beziehung stand?“ Der junge Mann sah die Hauptkommissarin forschend an und antwortete bestürzt: „Hat die alte Jule denn etwas angestellt? Die ist hier immer besonders gut gelaunt und verträglich erschienen. Oder ist ihr etwas zugestoßen, weil Sie in der Vergangenheit von ihr reden?“

Lina Eichhorn wurde zunehmend ungeduldig. Der Betreuer verschwendete ihre kostbare Zeit mit Konversation. „Bitte beantworten Sie freundlicherweise unsere Fragen. Wir ermitteln in einem komplizierten Fall und können Ihnen darüber noch keine Auskunft geben“, sagte sie strenger, als sie eigentlich wollte, da ihr der Mann eigentlich sympathisch war und sie seinen Einsatz für die Obdachlosen wertschätzte.

„Ja, natürlich, Sie haben wichtige Arbeit! Zeit ist Geld, sozusagen! Sie müssen schon entschuldigen, aber bei uns gehen die Uhren ganz anders. Der Umgang mit den Kunden verändert auch uns selbst – so ist das nun mal.“ Dann kam er aber doch noch zur Sache: „Also, die alte Jule war, soweit ich mich erinnere, am vergangenen Mittwochvormittag hier. Sie hat Kaffee getrunken und auch geduscht. Wenn ich mich nicht sehr irre, saß sie mit Anton und Fiddi zusammen. Gegen Mittag ist sie mit Anton gemeinsam losgezogen. Der brauchte dringend eine Flasche, das merkte ich an seinem Verhalten. Und hier im Haus ist Alkohol nicht erlaubt. Wir haben feste Regeln, sonst geht das überhaupt nicht. – Ich hoffe, das hilft Ihnen weiter?"

„Ja, vielleicht kennen Sie auch die vollständigen Namen von Anton und Fiddi? Wir würden gern mit den beiden sprechen. Sind sie vielleicht im Augenblick hier?" In Lina keimte Hoffnung auf.

„Vollständige Namen und Adressen? Hahaha!" Der Betreuer mit Namen Carsten amüsierte sich. Weil die beiden Kriminalbeamten aber ernst blieben, besann er sich schnell eines besseren und antwortete ruhig: „Also der Anton heißt mit Nachnamen Fick. Das weiß ich aber nur, weil ihn alle damit necken. Fiddi kenne ich nur unter seinem Spitznamen. Und nun fragen Sie mich bitte nicht, wo die sich gewöhnlich aufhalten, wenn sie nicht bei uns herumlungern. Im Moment sind die nämlich beide noch nicht hier, weil sie bestimmt ihren Rausch ausschlafen."

„Also, glauben Sie, dass später mit den beiden zu rechnen ist? Vielleicht könnten Sie uns kurz anrufen, falls sie hier auftauchen?“ Pantekook sprach so verbindlich wie immer. Der junge Mann nickte sofort bereitwillig und nahm die Karte mit der Telefonnummer entgegen.

„Kennen Sie vielleicht auch zwei weitere Personen, die sich Alice und Professor nennen und gelegentlich Kontakt zu Frau Bakkermann hatten?“, wollte Frau Eichhorn noch wissen.

„Oh, da haben Sie wirklich Glück. Die Alice steht gerade unter der Dusche. Die müsste gleich fertig sein. Dann können Sie sie gern verhören“, sprudelte er hervor, als ob er froh war, den Beamten doch noch weiterhelfen zu können.

Pantekook tätschelte Carsten die Schulter und meinte beschwichtigend: „Mal langsam, junger Mann, wir verhören hier niemanden. Wir führen nur eine normale Zeugenbefragung durch. Es wird auch bestimmt keiner so schnell verhaftet. Also, keine Sorge!“

Sie gingen in den Aufenthaltsraum zurück und setzten sich an einen leeren Tisch, um auf Alice zu warten. Carsten brachte ihnen nun doch noch Kaffee. Er schmeckte tatsächlich annehmbar. Von den anderen Tischen wurden sie kritisch beäugt, während sämtliche Gespräche erstarben. Zwei Männer verließen nacheinander den Raum. Lina merkte ihnen an, dass sie möglichst nicht auffallen wollten. Sie sah Angst in ihren Augen. Sicherlich haben hier einige Menschen schlechte Erfahrungen mit Staatsdienern gemacht, dachte sie und war sich ihrer Spielverderberrolle in diesem Obdachlosen-Milieu sehr bewusst.

Die Hauptkommissare hatten den Kaffee beinahe ausgetrunken, als eine Frau mit nassem glatt zurückgekämmtem dunklem Haar im Aufenthaltsraum erschien. Sie zog einen karierten Trolli hinter sich her, auf dem ein schmuddeliger brauner Teddy mit nur einem Glasauge festgebunden war. Bevor sie die Situation erfassen konnte und die beiden Exoten im Raum wahrgenommen hatte, wurde sie von Carsten bestürmt und zum Tisch der Beamten gedrängt.

„Hier ist sie, unsere Alice!“ Er rückte ihr einen Stuhl zurecht und stellte auch gleich einen Kaffeebecher vor der verdatterten Frau ab.

„Was’n hier los?“, murmelte die nur und schaute verstört von einem zum anderen.

„Guten Morgen, Alice! Verraten Sie uns auch bitte Ihren vollständigen Namen?“ Lina sprach die Frau ruhig und freundlich an, um keine Panik aufkommen zu lassen.

„Wer will das wissen?“, kam es jedoch stur zurück.

Sie legten sofort ihre Dienstausweise auf den Tisch und Pantekook erklärte verbindlich: „Wir haben erfahren, dass Sie eine gute Freundin von Jule sind und möchten Sie nur etwas fragen.“

Jetzt schaute die obdachlose Frau auf die Ausweise und dann betrachtete sie die beiden Beamten eingehend. „Ob Sie das auch wirklich sind, kann ich mit den dämlichen Masken nicht erkennen. Aber ich lass das heute mal gelten“, meinte sie in herablassendem Ton. „Ach, die gute alte Jule – dann hat die also was angestellt?“ Sie blickte die beiden lauernd über ihrer leicht schmuddeligen OP-Maske hinweg an.

„Nein, niemand hat hier etwas angestellt. Wir bräuchten nur dringend ein paar nähere Angaben zu Juliane Bakkermann. Können Sie uns da vielleicht weiterhelfen, Frau …?“ Lina musste all ihre Geduld zusammennehmen, um nicht barsch zu reagieren.

Nun wühlte Alice eine Weile in ihrem Trolli. Dann hob sie den Kopf und streckte ihr triumphierend einen Ausweis entgegen. „Nicht dass Sie noch denken, ich wäre illegal“, säuselte sie. „Mein Name ist Alice von Bühlen – nicht mehr und nicht weniger. Deutsche seit je her. Meine Vorfahren sind einwandfrei zurückzuverfolgen bis ins Kaiserreich.“ Sie überprüften den Ausweis kurz. Er war abgelaufen, schien aber echt zu sein.

„Frau von Bühlen, wann haben Sie die Frau Bakkermann denn zuletzt gesehen?“ Pantekook erwies sich als der Geduldigere, deshalb hielt sich Lina zurück.

„Da muss ich aber wirklich mal genau nachdenken. – Die gute alte Jule, wann hab ich die denn gesehen? – Es ist ja manchmal ein Tag wie der andere. Wie soll man sich da an was erinnern? – Aber jetzt war ja gerade das Wochenende, da ist der Aufenthalt hier geschlossen. Und da hab ich die Jule garantiert nicht gesehen.“ Die Obdachlose schaute zwinkernd über die Maske und dann lachte sie laut. „Ach ja, Sie wollten wissen, wann ich Jule gesehen hab, und nicht wann ich sie nicht getroffen hab. Hahaha!“ Nachdem sie sich wieder beruhigt hatte, fügte sie dann ernst hinzu: „Ich weiß es jetzt wieder. Sie hat Mittwochmorgen hier geduscht. Da hat sie mir nur so zwischen Tür und Angel erzählt, dass sie am Wochenende ne Biege machen will. Ihre ältere

Schwester hatte sie zu sich eingeladen. Ob das nun wahr ist, weiß ich nicht. Ist ja eher unwahrscheinlich, dass unsereins mal so ein Glück hat. Und ich glaub auch nichts, was andere erzählen. Es wird soviel gelogen und betrogen ..." Sie schüttelte den Kopf und machte sich dann gierig über ihren Kaffee her.

Die beiden Polizeibeamten hatten genug gehört. Im Grunde bestätigte die Frau, was sie sowieso schon wussten. Sie erhoben sich und verabschiedeten sich freundlich. Der Betreuer würde sich bestimmt melden, falls jemand von den anderen Bekannten der alten Jule auftauchen sollte. Er wirkte sehr zuverlässig.

Sie stolperten beinahe über einen abgewetzten Rucksack, der neben einer leeren Bierflasche mitten im Weg lag und fuhren dann schnellstens zum Revier zurück.

14. Fundsache

Auf dem Polizeirevier wurden die Hauptkommissare bereits von Grothes Sekretärin erwartet.

„Die Notrufzentrale hat heute Morgen einen seltsamen Anruf von einer verstörten älteren Frau erhalten, die an der Bushaltestelle in Jarßum einen verdächtigen Rucksack gefunden hatte. Die Streife ist hingefahren und bittet Sie nun dringend dorthin zu kommen. Was genaues weiß ich auch nicht. Aber soll ein Leichenfund sein“, brabbelte Frau Neemann aufgeregt.

Ohne Aufenthalt machten sich Lina und Andreas auf den Weg. Der Ortsteil war gleich neben dem letzten Tatort gelegen, und sie sahen den vor der Bushaltestelle parkenden Einsatzwagen schon von weitem. Die zwei Polizisten, die Lina bereits von der Befragung der Anwohner kannte, standen neben einer betagten gebeugten Frau. Diese trug trotz der milden Temperaturen eine rote Wollmütze und eine dicke Steppjacke. Mit der linken Hand hielt sie einen abgewetzten Stoffbeutel umklammert, als enthalte er einen wertvollen Schatz.

Die beiden Kriminalisten entstiegen schnell dem Wagen und grüßten die Kollegen flüchtig. Lina erfasste die Situation intuitiv. Die Bushaltestelle war mit Flatterband abgesichert worden. Es handelte sich um einen kleinen Unterstand, der zur Straßenseite offen, an den anderen drei Seiten mit durchsichtigen Schutzwänden versehen war. Die tragenden Teile waren in einem kräftigen Blau gestrichen, das hier und da schon abblätterte.

Auf einem der aus stabilem Drahtgeflecht bestehenden beiden Sitze innerhalb des Wartehäuschens stand ein leicht geöffneter alter fleckiger Rucksack, dessen ursprüngliche Farbe einmal grün gewesen sein mochte.

Überall lag zwischen Grasbüscheln, die sich neben und zwischen der Pflasterung hervordrängten, achtlos weggeworfener Müll herum. Sogar einen schwarzen Schnürstiefel erblickte Lina gleich neben dem Unterstand und natürlich die übliche Ansammlung von Zigarettenkippen, Bonbonpapier, benutzten Tempotaschentüchern und Glasscherben. Auf einem Schild an einem Pfahl über dem Busfahrplan stand der Name der Haltestelle „Jarßumer Warf“.

Die alte Frau, welche offenbar wegen des seltsamen Fundes angerufen hatte, wirkte genauso verstört wie die Polizisten. Der ältere von beiden ergriff dann das Wort: „Die Frau Bagger hat uns angerufen. Sie hat den Rucksack dort gefunden. Der stinkt zum Himmel und es scheint ein Kopf drin zu stecken. Jedenfalls sieht man Blut und Haare." Der stattliche Mann musste schlucken und schaute sie ein wenig hilflos an.

„Ja, gut, dass Ihr so schnell vor Ort wart. Habt Ihr die Personalien der Zeugin schon aufgenommen? Und hat keiner hier irgendwas ohne Schutzhandschuhe angefasst?" Andreas Pantekook ließ seinen Blick kritisch von den bloßen Händen der beiden zum Rucksack gleiten.

„Nee, wir haben alles nach Vorschrift gemacht. Sehen Sie - auch das Flatterband", meinte Enno stolz und zupfte an der rot-weißen Absperrung.

„Wer hat denn den Rucksack geöffnet? Oder war er schon offen, als er gefunden wurde?" Lina Eichhorn duckte sich geschmeidig unter der Absperrung durch und schritt auf das seltsame Fundstück zu. Sie nahm den penetranten Leichengestank sofort wahr. Der Geruch menschlicher Körper in den verschiedenen Stadien der

Verwesung war ihr leider sehr vertraut. Das brachte ihr Beruf nun einmal mit sich.

Sie war nicht mehr so empfindlich, wie zu Beginn ihrer kriminalistischen Karriere. Und sie konnte am Zustand und Geruch der Opfer inzwischen oft schon adäquate Hypothesen zu Tatzeitpunkt oder -hergang aufstellen.

Hier handelte es sich offenbar um Leichenteile, denn ein ganzer Leichnam hätte kaum in den Rucksack gepasst. Wenn sie Glück hatten, war es der vermisste Kopf von Juliane Bakkermann anstatt eines weiteren Falles der ihnen ins Haus stand. Sie vermochte nur graues blutverschmiertes Haar zu erkennen. Verbrannt sah daran nichts aus. Gekonnt streifte sie die Einmalhandschuhe über und versuchte die Öffnung des Rucksacks zu erweitern. Aber es gelang ihr nicht. Es musste sich etwas im Reißverschluss verklemmt haben.

An Pantekook gewandt schlug sie deshalb vor: „Wir sollten die SpuSi herbitten. Sie müssen anschließend den Rucksack mit Inhalt in die Pathologie bringen. Wenn wir den gewaltsam öffnen, könnten wir wichtige Spuren zerstören.“

Andreas Pantekook nickte ihr zu und war schon dabei, die Spurensicherung über sein Mobiltelefon zu informieren.

Die Zeugin stand mit vor Aufregung geweiteten Augen neben den Polizisten und zitterte ein wenig, als Lina nun auf sie zutrat.

„Kommen Sie doch bitte mit mir zum Wagen, Frau Bagger! Dort können wir uns setzen und in Ruhe unterhalten, wenn es Ihnen recht ist.“

Die Alte folgte Lina schleppend zu Pantekooks Auto und setzte sich seufzend auf den Beifahrersitz. Lina stieg an der Fahrerseite ein und zückte gleich ihren Notizblock, um sich wichtige Einzelheiten zu notieren. Die Personalien konnte sie sich ersparen, weil das schon erledigt war.

„Frau Bagger, ich möchte sie bitten sich nochmal ganz auf den Moment zu konzentrieren, als sie den Rucksack gefunden haben. Erzählen Sie mir dann bitte genau, wie es sich zugetragen hat und was Ihnen alles in diesem Zusammenhang aufgefallen ist. Das ist sehr wichtig.“ Sie sah die Zeugin freundlich aber eindringlich an und hoffte, dass der verwirrte Eindruck, den diese machte, nur auf die stressige Situation zurückzuführen war. Mit einer altersverwirrten Person würden sie als Zeugin nicht viel anfangen können.

„Ich hab den Polizisten schon alles gesagt, was ich weiß“, stammelte die Alte weinerlich. Dann starrte sie stumm vor sich hin.

„Das ist sehr umsichtig von Ihnen gewesen, dass Sie sofort die Polizei gerufen haben, Frau Bagger. Sie sind eine wichtige Zeugin bei einem Verbrechen. Deshalb würde ich sehr gern wissen, was sie heute Morgen hier an der Bushaltestelle gemacht und wie Sie den Rucksack gefunden haben. Waren noch andere Personen hier?“ Lina versuchte mit sanfter Stimme, die Frau zum Reden zu bewegen. Diese wirkte jedoch zunehmend verstockter und murmelte unverständlich offenbar auf Plattdeutsch vor sich hin.

„Soll ich Sie lieber jetzt nach Hause fahren, Frau Bagger, dann könnten wir vielleicht dort nochmal in Ruhe über alles reden?“ Lina legte behutsam eine Hand auf die Schulter der Alten. Diese schüttelte jedoch die Berührung heftig ab und nestelte panisch an der Tür, um das Auto zu verlassen.

„Ich kann gut zu Fuß gehen. Das ist nicht weit, und ich bin das gewohnt“, brummte sie, bekam aber die Tür nicht auf.

Lina ging um den Wagen herum, ließ sie aussteigen und folgte ihr einfach. „Ich begleite Sie nach

Hause, das ist sicherer. Wahrscheinlich haben Sie durch das Erlebte einen Schock erlitten. Meinen Sie, dass Sie einen Arzt benötigen?“

„Ach, gahn Se mi weg mit de Dokters“, murmelte sie vor sich hin und stapfte zügig die Jarßumer Warf hinauf. Lina folgte ihr auf dem Fuß.

Die Sonne stand an einem freundlichen blauen Himmel im Osten hinter der Warf. Sie beschien eine bezaubernde weiße Villa, die hier völlig deplatziert wie aus einem Disney-Film aufragte. Die niedlichen dunklen Sprossenfenster blinzelten Lina verschwörerisch zu. Ein mit roten Pfannen bedeckter kleiner Vorbau ließ die Fassade zu einem liebenswerten Entengesicht mutieren. Obenauf hockte ein zierliches Türmchen fast wie ein schwarzer Hexenhut. Das Haus schien ein Wesen aus einer anderen Welt zu sein. Lina hätte sich nicht gewundert, wenn in dem Moment, als sie mit Frau Bagger vorbei ging, ein feuerspeiender Drache oder ein Elf in dem schattigen Garten zwischen den mächtigen alten Bäumen erschienen wäre.

„Ich gehe montags immer meine übliche Runde“, unterbrach die alte Frau ganz plötzlich die märchenhafte Stille. „Dann schaue ich überall nach dem rechten – sozusagen. Es wird ja immer viel weggeworfen am Wochenende." Sie hob bedeutungsvoll ihre abgewetzte Stofftasche hoch, in der es leise klirrte. Lina Eichhorn war erfreut von dem überraschenden Mitteilungsbedürfnis der Zeugin und verhielt sich abwartend.

„Ich schaute also in den Abfallbehälter an der Bushaltestelle, fand aber leider keine Flaschen. Dann fiel mir der Rucksack auf. Da war weit und breit keine Menschenseele. Der stand völlig verlassen da in der Ecke des Wartehäuschens herum. Dann bin ich hin. Und weil ich mich so schlecht bücken kann – Sie wissen schon, der Rücken – hab ich den gegriffen und auf den Sitz gestellt. Da merkte ich schon, wie der stank." Sie machte eine kurze Verschnaufpause, atmete hörbar ein und aus, blieb aber nicht stehen.

„Was mag da nun wieder drin sein, fragte ich mich. Da hat bestimmt jemand seine Einkäufe einfach so vergessen, und die modern jetzt vor sich hin. Weil ich dachte, dass vielleicht noch was Brauchbares darin zu finden wäre, schnürte ich das Ding auf und sah die schreckliche Bescherung." Sie blickte die Hauptkommissarin mit angstvoll aufgerissenen Augen an und sprach plötzlich auf Plattdeutsch: „Ik was heel benaut!"

Lina verstand sie nicht und war dankbar, als sie ohne Umschweife wieder ins Hochdeutsche wechselte: „Dann hab ich sofort angerufen. Mit meinem Notfallhandy. Aber das wissen Sie ja alles schon. Und hier bin ich Zuhause! Ich brauche jetzt meine Ruhe“, sagte sie und verschwand ohne ein weiteres Wort in einem sehr alten windschiefen Haus mit abgeblätterten Holzfenstern, das dringend eine umfangreiche Renovierung benötigt hätte.

Die Hauptkommissarin ließ die Zeugin fürs erste gewähren. Die war im Augenblick zu weiteren Aussagen offensichtlich nicht bereit. Notfalls konnte sie zu einem späteren Zeitpunkt noch aufs Revier geladen werden.

Zügig begab sie sich zur Bushaltestelle zurück. Im Vorbeigehen mochte sie es sich jedoch nicht verkneifen, die seltsame alte Villa noch ein letztes Mal intensiv in Augenschein zu nehmen.

War es eigentlich möglich, sich in ein Haus auf den ersten Blick zu verlieben?

Dass Orte in der Lage waren, bestimmte Gefühle auszulösen, wusste immerhin jeder. Die romantische Stimmung, die an einem verträumten See aufkam oder die bedrückende an manchen geschichtsträchtigen Stätten. Dunkle verlassene

Gassen vermochten hingegen plötzliche Furcht auszulösen. Sie selbst musste schon manchen Tatort begehen, der sie in jähe Beklemmung versetzt hatte.

Lächelnd schüttelte sie den Kopf über ihre seltsamen Gedanken und sah auch schon ihre Kollegen, die offensichtlich ungeduldig auf sie warteten.

15. Samurai

Jonas und sein Freund Hacke trafen sich diesmal an der Bushaltestelle in Jarßum. Sie hockten dicht beieinander auf den beiden kargen Sitzgelegenheiten und rauchten. Lange sprach niemand von ihnen ein Wort.

Die Dunkelheit tauchte die Umgebung der Straße in eine fremde Atmosphäre und machte die Welt klein. Nur selten erhellten die Scheinwerfer vorbeifahrender Wagen die angrenzenden Wiesen soweit, dass man eine leise Ahnung von der ansonsten weitläufigen flachen Landschaft bekam.

Jonas verfolgte mit den Augen die Reste des rotweißen Flatterbandes, das im leichten Wind hin und her schlängelte.

„Warum sind wir heute hier? Was steht an?“, wagte er nach einer Weile zu fragen. Immerhin hatten sie sich ohne die übliche Verkleidung in ihren normalen Klamotten getroffen. Und zu seiner Beruhigung war Hacke nicht mit dem Samurai-Schwert und auch ohne irgendwelche potentiellen Opfertiere erschienen.

„Was denkst du, haben die hier abgesperrt?“ Hacke stellte diese Gegenfrage, warf seine brennende Zigarette auf das Pflaster und bearbeitete sie mit seinen sündhaft teuren Sportschuhen, als sollte sie durch den Boden zur anderen Seite des Globus gedrückt werden.

Jonas wirkte verunsichert und zuckte nur ahnungslos die Schultern. In Hackes Kopf spielten sich immer ungeahnte Dinge ab. Er fürchtete eine falsche Antwort könnte ihm Ärger einbringen, deshalb schwieg er lieber abwartend.

„Siehst du, da an der einen Stelle steht noch etwas. Lies es mir vor!“ Hacke hatte wieder diesen Befehlston, der Jonas jedes Mal einschüchterte.

„Polizei, steht da“, stotterte der Junge und begann zu schwitzen. „Hat das was mit uns zu tun, Hacke? Wir sind doch hier in Jarßum?“

„Was denkst du? Natürlich hat das was mit uns zu tun, du Nerd! Glaubst du, die Bullen haben hier in der Gegend jede Menge spektakuläre Fälle aufzuklären?“ Hacke baute sich jetzt in voller Größe vor seinem in sich zusammengesunkenen Freund auf.

„Wir sind es, die die ganze Truppe hier in Emden in Atem halten. Wir sind berühmt berüchtigt. Das muss man erst mal schaffen! Das kann nur ein echter Samurai.“ Er legte eine elegante Bewegungsabfolge hin, während er sein imaginäres Schwert durch die Luft schwang.

Jonas stützte seinen Kopf in beide Hände, als könnten seine Schultern ihn nicht länger tragen.

Was sollte das nun wieder bedeuten? Er hatte mühsam versucht, die grausigen Vorgänge in der schlimmsten Nacht seines Lebens zu verdrängen. Und solange er Hacke nicht gesehen hatte, war ihm dies auch ganz leidlich gelungen, wenn auch nur mit reichlich Alkohol aus dem Vorrat seines Vaters. Nun stand die blutrünstige Szene wieder lebendig vor ihm. Seine Hände begannen zu zittern. Um seine Angst nicht zu zeigen, erhob er sich und vergrub sie bis zu den Ellenbogen in den großen Hosentaschen.

„Das mit dem Schrumpfkopf hat leider nicht funktioniert. Ich hatte schon alles im Internet recherchiert. Aber mein Alter hatte sich mit Corona angesteckt. Der war nur noch Zuhause und hatte nichts besseres zu tun, als mich zu kontrollieren. Der blöde Kopf fing tierisch an zu stinken. Da hab ich ihn markiert und dann mit dem versifften Rucksack hier abgestellt. Die werden ihre Freude damit haben, sag ich dir!“ Hacke lachte bitterböse.

„Schrumpfkopf? Markiert?“ Jonas Gehirn versuchte vergeblich Zusammenhänge herzustellen. An seinem unwissenden Blick erkannte sein Freund schnell, dass es näherer Erklärungen bedurfte.

„Sie müssen doch wissen, dass die Pennerin von einem Samurai enthauptet wurde. Damit sie darauf kommen, muss ich ihnen auf die Sprünge helfen. Die

Gerichtsmediziner haben hier natürlich selten mit Samurai-Kriegern und deren Waffen, wie dem ‚Katana' meines Alten, zu tun, deshalb hab ich den Kopf mit ‚Saigo Takamori' gekennzeichnet. Ich bin schließlich sein würdiger Nachfolger. Ich werde die Welt von jeglichem Gesindel befreien!"

„Gekennzeichnet?", murmelte Jonas.

„Ja, ich hab die japanischen Schriftzeichen in den Kopf geritzt. Mit einem alten Skalpell, was Vater mir für Bastellarbeiten abgetreten hatte." Er klatschte aufgeregt in die Hände. „Mal sehen wie lange sie brauchen, um ihre Erkenntnisse der Presse mitzuteilen. Spuren hab ich keine hinterlassen. Alles nur mit Einmalhandschuhen angefasst. Die finden uns nie!"

„In der Zeitung stand noch nichts. Mutter hat sich schon gewundert, dass ich mich auf einmal fürs Lesen interessiere", meinte Jonas lahm.

„Mach bloß keinen Mist, Jonas! Du musst dich total unauffällig verhalten. Immer so weiter wie bisher, dann sind wir vollkommen safe. Und glaube mir – das war erst der Anfang!" Er steckte sich eine neue Zigarette zwischen die Lippen und zündete sie an.

Nach drei tiefen Zügen, näherte er sich dem Gesicht seines Freundes bis auf wenige Zentimeter, blies ihm eine Rauchwolke in die Augen und erklärte dann prahlerisch: „Ich werde in die Kriminalgeschichte eingehen und du wirst davon partizipieren, wenn du keine Dummheiten machst und tust, was ich dir sage.“

Sie beschlossen sich zu trennen und einzeln nach Hause zu gehen, um unnötiges Aufsehen zu vermeiden. Hacke wollte sich wieder melden, sobald etwas anstand.

Jonas schlenderte, eine brennende Zigarette im Mundwinkel, in gebührendem Abstand zu seinem Freund dem eigenen Zuhause entgegen. Die Welt um ihn her unter dem blinkenden Sternenhimmel wirkte so friedlich und vertraut, dass es ihm nur qualvoll gelang, die ungeheuerlichen Geschehnisse der vergangenen Tage vollständig zu erfassen.

Es drängte ihn, trotz seiner grenzenlosen Loyalität seinem einzigen Freund gegenüber, sich aus dieser verstörenden und belastenden Situation zu befreien. Seine Gedanken kreisten immer wieder um das grausige Ereignis der Enthauptung, ohne sich davon lösen zu können.

Plötzlich begann er unkontrolliert zu zittern. Die Zigarette fiel ihm zu Boden. Sein Mund war trocken, und seine Brust wurde eng, so dass er glaubte nicht mehr atmen zu können. Hastig rang er nach Luft und beeilte sich nach Hause zu kommen. Er brauchte dringend einen ordentlichen Schluck!

Die Haustür wollte sich nicht öffnen lassen. Aber schließlich stand er schweißüberströmt vor dem

Schrank in der guten Stube, wo die hochprozentigen Sachen aufbewahrt wurden. Glücklicherweise schliefen die Eltern schon. Die harte Arbeit machte sie jeden Abend früh müde, wodurch Jonas seine Ruhe vor ihnen hatte.

Er öffnete eine angebrochene Flasche Gin und setzte sie an die Lippen. Das scharfe Getränk rann durch seine wunde Kehle. Die Flasche umklammernd, ließ er sich rücklings in einen Sessel fallen. Er spürte die Wärme in der Speiseröhre und dann im Magen.

„So ist's schon besser", murmelte er. Ein weiterer großer Schluck half ihm die blöde Atemnot völlig zu überwinden. Vorsichtig stellte er die kostbare Flasche auf dem Couchtisch ab und griff nach der Fernbedienung der Glotze. Nervös klickte er durch die Sender, bis er auf einen Actionfilm stieß.

Aufgemotzte Karren lieferten sich schwindelerregende Wettrennen auf einer vor Qualm und Flammen fast unsichtbaren Piste. Er sah nur mit einem Auge hin. Seine üblen Gedanken ließen sich doch nicht so leicht abschalten.

Unvermittelt wurde die Tür zur Stube geöffnet. Seine Mutter in einem geblümten Flanellnachthemd stand verschlafen vor ihm. Er hatte ihre schlurfenden Schritte im Flur wegen der lauten Motorengeräusche nicht wahrgenommen.

„Aber mein Junge, nun mach doch das Fernsehen leiser! Der Papa wird noch wach. Und dann kannst du wieder was erleben!“ Sie trat resolut zum Tisch, drückte auf die Fernbedienung, so dass Ruhe herrschte und ergriff dann die Gin-Flasche, um sie wieder ordentlich in den Schrank zu stellen.

„Und hab ich dir nicht schon tausend Mal gesagt, dass zu viel Alkohol schädlich ist? Wie soll aus dir jemals ein feiner Herr werden, den die Leute respektieren, wenn du säufst?“ Sie schenkte ihm einen langen vorwurfsvollen Blick.

„Aber der Papa …“, stammelte Jonas hilflos und kämpfte unvermittelt mit den Tränen.

„Dein Vater ist erwachsen und weiß, was er tut!“ Ihre Augen suchten seine vergeblich, da ihr Sohn demütig den Kopf gesenkt hatte. Liebevoll trat sie auf ihn zu, tätschelte seine fleischige Schulter und drückte ihm dann einen feuchten Kuss auf die Wange.

„Nun geh zu Bett, mein Großer! Morgen ist ein neuer Tag, und da willst du doch ausgeschlafen und frisch ans Werk gehen! Sicher kommen schon bald die nächsten Klassenarbeiten. Die sind für deinen Hauptschulabschluss wichtig. Danach suchen wir dir eine schöne Lehrstelle, und die Welt sieht gleich ganz anders aus!“

Sie lächelte ihren Sohn so frohgemut an, dass er sich brav erhob und mit einem lahmen „Gute Nacht, Mama!“ gehorsam auf den Weg in sein Zimmer machte.

16. Gerichtsmedizin

Nachdem der Fundort des Leichenkopfes gesichert und akribisch untersucht worden war, hatten sie den schäbigen Rucksack mitsamt dem grausigen Inhalt ins pathologische Institut überstellen lassen. Von dort erhielt Andreas Pantekook am Dienstagmorgen einen Anruf, dass die Anwesenheit der ermittelnden Beamten erwünscht war.

Zügig begaben sich die beiden Hauptkommissare gleich zu Dienstbeginn ins gerichtsmedizinische Institut. Lina wappnete sich innerlich, weil sie befürchtete, dort erneut auf den Pathologen Professor Zanetti zu treffen, der ihr schon bekannt war. Er hatte eine unsympathische Art, seine Mitarbeiterinnen herumzustoßen und niederzumachen, weshalb sie nicht gern mit ihm zusammenarbeitete.

Aber sie sollte es unerwartet mit einer anderen Herausforderung zu tun bekommen.

Als die beiden Kriminalisten den kalten von Neonlicht erhellten gefliesten Raum betraten, in dem die Obduktionen auf sterilen Stahltischen vorgenommen wurden, fanden sie sich Frau Dr.

Miranda Hogeboom gegenüber, die sich mit ihrer Schutzkleidung fast vollkommen verhüllt hatte. Sie umklammerte ein Skalpell mit der rechten Hand und war gerade in ein reges Gespräch vertieft. Ihr aufmerksamer Gesprächspartner stellte sich als Pantekooks Kollege Joe Kokker heraus, der eine teure Fotoausrüstung in einer Tasche lässig über der Schulter trug.

Andreas reagierte hocherfreut: „Oh, hallo Joe! Hat man dich gleich mit eingeschaltet? Das ist ja super!“ Er unterbrach die Unterhaltung der beiden, indem er dem Kollegen freundschaftlich die Hand drückte. Dann besann er sich seiner guten Erziehung, verbeugte sich leicht in Richtung der Ärztin und begrüßte sie vorbildlich, ohne ihr jedoch zu nahe zu kommen.

„Lina, darf ich Ihnen Frau Dr. Hogeboom vorstellen, oder hatten Sie bereits das Vergnügen miteinander?“ Er blickte fragend von einer Frau zur anderen.

Frau Eichhorn lächelte verkrampft und nickte der Ärztin zu. „Wir kennen uns bereits. Guten Morgen Frau Doktor Hogeboom. Ist Professor Zanetti gar nicht anwesend?“ Sie versuchte dem Shake-Hands mit Joe irgendwie aus dem Wege zu gehen, was ihr aber nicht gelang. Der smarte Kollege kam vertraut auf sie zu und umarmte sie freundschaftlich ohne das geringste Zögern.

„Das ist aber schön, Lina, dass wir wieder an einem Fall zusammenarbeiten dürfen. Wie geht es dir, meine Liebe?" Über der medizinischen Maske lächelten seine dunklen Augen ihr unwiderstehlich zu. Und nachdem sie sich all zu schnell aus seinen Armen befreit hatte, strich er ihr zusätzlich zärtlich über die Schulter.

„Professor Zanetti leidet an einer Corvid 19-Infektion. Sie müssen daher im Moment mit mir Vorlieb nehmen. Ich hoffe, das geht so in Ordnung?", meldete sich die Pathologin eifrig zu Wort und unterbrach damit das Geplänkel. Resolut trat sie an den Seziertisch um ihre Arbeit fortzusetzen.

Die Kriminalbeamten stellten sich in gebührendem Abstand um die Arbeitsfläche auf und betrachteten schweigend das grausige Haupt, welches seine Geheimnisse preisgeben sollte. Der schäbige Rucksack war schon entfernt worden, um ihn auf wichtige Spuren zu untersuchen. Nun lag der Kopf der armen Obdachlosen – denn um den handelte es sich, da bestand kein Zweifel mehr – seltsam deplatziert auf dem kalten Seziertisch. Noch immer steckte die Zunge zwischen den lückenhaften Zähnen. Die Lippen waren zurückgezogen. Die Augenlider verschlossen glücklicherweise die im Tode gebrochenen Augen der malträtierten Frau. Auf den runden bleichen Wangen befanden sich seltsame kleine Schnitte, die rot eingefärbte Muster zu bilden schienen. Bevor jemand von den Anwesenden eine Frage an sie richten konnte, begann Dr. Hogeboom auch schon in leierndem Tonfall die bisherigen Untersuchungsergebnisse zusammenzufassen.

Linas Gedanken drifteten ständig ab. Sie stand Joe Kokker am Seziertisch gegenüber und konnte die Augen einfach nicht von ihm lassen. Es kribbelte verdächtig in ihrer Magengegend, als habe sich dort ein Bienenschwarm eingenistet, und ihre Knie waren weich.

Benimm dich nicht wie eine verliebte pubertierende Idiotin, dachte sie und bemerkte gleichzeitig, dass ihr Körper und ihr Verstand ihr schlichtweg nicht gehorchen wollten. Warum löste dieser Mann solche Gefühle in ihr aus? Sie war doch sonst eher kühl und kopfgesteuert. Ihr Hirn schien sich aber in dem Moment, als er sie in die Arme genommen hatte, auf nimmer Wiedersehen verabschiedet zu haben.

Pantekook hatte irgendeine Frage gestellt und Joe schickte sich an, einige Fotos zu machen. Die Pathologin erklärte, dass die seltsamen Schnitte der Leiche post mortem beigebracht worden waren. Was sie bedeuten, wisse sie allerdings nicht. Das sollten die Ermittler herausfinden.

„Allerdings ist verwunderlich, dass das Instrument, mit dem hier gearbeitet wurde, sehr scharf war. Ich tippe auf ein Skalpell, wie ich sie täglich benutze. Die Enthauptung wurde mit einem außerordentlich scharfen Gegenstand und brachialer Gewalt vorgenommen. Der Täter hat nur einen einzigen Hieb benötigt. Daher könnten bei ihm vielleicht rudimentäre medizinische Kenntnisse vorhanden sein, oder es handelt sich sogar um einen Kollegen?“ Sie schaute Zustimmung heischend in die Runde und wendete dann den Schädel, so dass der grau behaarte Hinterkopf sichtbar wurde. Das Haar war noch immer blutverklebt.

„Sehen Sie hier, man hat ihr eine Locke abgeschnitten. Ich denke, auch das war der Täter. Hier wurde jedoch eine normale Schere benutzt. Meine Vermutung ist, dass er ein Erinnerungsstück an seine Tat behalten wollte. Denn welche Frau schneidet sich selbst eine Haarlocke am Hinterkopf ab und aus welchem Grund? Das Haar der Toten hat mit Sicherheit lange Zeit keinen Friseur gesehen und wurde nicht regelmäßig gepflegt." Die Ärztin trat vom Seziertisch zurück, um Joe Kokker weitere detaillierte Aufnahmen zu ermöglichen.

„Ja, sie war eben eine obdachlose Frau und fand demzufolge nicht häufig die Gelegenheit zu umfangreicher Körperhygiene", meinte Pantekook milde, als wolle er das Andenken der Toten vor weiterem Schaden bewahren.

Lina beobachtete Joe bei seiner Arbeit. Er bewegte sich so geschmeidig wie ein Panter. Sein noch immer jugendlich anmutender Körper hatte kein Gramm Fett zu viel. Das lange dunkle Haar war zu einem kräftigen glatten Zopf zusammengebunden, der ihm, während er aus verschiedenen Positionen sehr konzentriert fotografierte, über die Schultern glitt. Er trug wieder enganliegende Jeans und wirkte lässig wie immer.

Wahrscheinlich musste man in ihm eher den Künstler sehen, als den Kriminalbeamten. Sie wusste, dass er ein begnadeter Fotograf, Filmbearbeiter und Computerspezialist war. Die Behörde hatte in ihm einen wirklich kompetenten äußerst vielseitigen Mann gefunden, auf den sie bestimmt nicht so leicht verzichten könnte.

Als sie den Blick kurz von Joe losriss, blickte sie unvermittelt in Dr. Hogebooms erstaunte Augen. Diese schien sich ertappt zu fühlen, denn sie wandte ihre ganze Aufmerksamkeit sofort Joe zu, dessen Kamera ununterbrochen klickte.

„Schießen Sie nur in Ruhe so viele Fotos, wie Sie benötigen, Herr Kokker. Sie können auch gern noch Aufnahmen von dem Rucksack machen, wenn sie möchten. Sämtliche Faserspuren oder Gewebeproben werden bereits nach neuesten Methoden untersucht. Die Ergebnisse erhalten Sie sobald sie vorliegen. Gibt es sonst noch Fragen Ihrerseits?“, wandte sie sich nun an Herrn Pantekook und Frau Eichhorn.

„Eigentlich müssen wir das ganze erst einmal verarbeiten. So eine Enthauptung hatten wir hier vorher noch nie. Wenn später noch Fragen aufkommen sollten, dürfen wir Sie doch sicherlich anrufen, Frau Dr. Hogeboom?“ Der Hauptkommissar sah die Ärztin unterwürfig an. Als diese entgegenkommend nickte, verabschiedete er sich umgehend und veranlasste Lina dadurch, es ihm gleichzutun.

Als die Kriminalistin im Hinausgehen noch einen letzten sehnsuchtsvollen Blick auf ihren *Indianer* werfen wollte, stellte sie überrascht fest, dass sich die Ärztin ihm zugewandt hatte, und die beiden sich wieder überaus angeregt unterhielten.

Vollkommen unerwartet traf ein schmerzhafter Stich ihre Brust. Sie ahnte, dass es Eifersucht sein könnte, die sie zu quälen begann, während sich die schwere Tür automatisch und vollkommen lautlos hinter ihr schloss.

Auf der Rückfahrt nach Emden besprachen Andreas und Lina in aller Ruhe die Erkenntnisse, welche aus der Obduktion zu gewinnen waren. Lina versuchte mit viel Geschick zu verhindern, dass ihre Erinnerungslücken auffielen. Der Kollege führte anfänglich glücklicherweise einen langen Monolog, wodurch sie dann wichtige Einzelheiten erfuhr, die ihr, durch ihre unverzeihliche Unkonzentriertheit vor Ort, leider entgangen waren. Dass Jule Bakkermann mit einem einzigen Schlag einer enorm scharfen Klinge getötet worden war, erschien ungewöhnlich.

Vermutlich handelte es sich dabei um eine heutzutage eher ungebräuchliche einem Schwert oder Säbel ähnelnde Waffe. Anhand der untersuchten Wundränder wurde unwiderlegbar festgestellt, dass der Tod nicht bereits vor der Enthauptung eingetreten war. Aufgrund des

Schnittwinkels lag die Vermutung nahe, dass die Frau gesessen oder gehockt hatte, während sie angefallen wurde. Sie musste dem Täter in die Augen gesehen haben, konnte sich aber nicht wehren, denn die verkohlten Arm- und Fingerknochen hatten keinerlei Schnittspuren aufgewiesen.

Die Augenlider waren nach dem Tod zugedrückt worden. Da der Täter den Kopf mitgenommen hatte - denn alle gingen davon aus, dass der Tatort und der Brandort übereinstimmten - konnte er den Anblick der gebrochenen Augen wahrscheinlich nicht ertragen.

„Was wollte der Mörder nur mit dem Kopf der Frau? Warum hat er die Haarlocke nicht vor Ort abgeschnitten und den Kopf mit dem Körper verbrennen lassen? Vermutlich hätten wir in diesem Fall lange gebraucht, um festzustellen, dass es sich um ein Gewaltverbrechen handelte“, sinnierte Pantekook.

„Wahrscheinlich ging es ihm um die sonderbaren Schnitte, die er der Toten zugefügt hat. Kann das irgendein seltsames Ritual sein? Vielleicht etwas afrikanisches, ähnlich wie Voodoo? Ich hab wirklich keine Ahnung und tappe im Dunkeln.“ Lina bemerkte, dass sie völlig verspannt war. Sie atmete tief ein und aus, lehnte sich in den Beifahrersitz zurück und betrachtete für einen Moment die vorbeifliegende Landschaft.

Es hatte leicht zu regnen begonnen. Ein unangenehmer Wind peitschte die reifen Felder, dunkle Wolken ballten sich darüber zusammen.

Der ostfriesische Sommer ist früh vorbei, dachte sie wehmütig.

17. Zeugenbefragung

Im Polizeipräsidium zurück, wurden die Ermittler von einer Person überrascht, die sie erwartete. Monika Neemann, die Sekretärin, trat den beiden in den Weg und erklärte kurz: „Es sitzt jemand im Vernehmungszimmer wegen dieser toten Frau. Er ist – na, wie soll ich das ausdrücken – etwas ungepflegt. Ich hab ihm eine FFP2-Maske gegeben. Und Sie sollten auch unbedingt Ihre aufbehalten, das hält ein wenig den penetranten Duft ab.“

Während Pantekook ihre Siebensachen ins Büro brachte, begab sich Lina Eichhorn umgehend ins Vernehmungszimmer. Dort fand sie einen schmuddelig gekleideten Mann mittleren Alters vor, dem die Haare speckig vom Kopf abstanden und der noch durch ihre Maske hindurch einen höchst unangenehmen Geruch nach Alkohol und ungewaschener Kleidung verströmte.

Die Hauptkommissarin nahm ihm gegenüber auf einem der bereitstehenden Stühle an dem großen Tisch Platz, auf dem für die Vernehmungen bereits ein Aufnahmegerät platziert war. Nachdem sie sich vorgestellt und den Fremden kurz begrüßt hatte, stellte sie das Gerät an und begann mit der Befragung.

„Bitte nennen Sie mir doch zuerst Ihren Namen und machen einige Angaben zu Ihrer Person. Sie werden hier als Zeuge zu einem Kapitalverbrechen befragt. Sie müssen also bei der Wahrheit bleiben, können allerdings die Antwort verweigern, wenn Sie befürchten, sich dadurch selbst zu belasten. Also – Herr ...?“

Der Mann sah sie über der blütenreinen FFP2-Maske, die von seinem sonstigen Äußeren extrem abstach, aus rotgeäderten Augen lauernd an. Dann hüstelte er und antwortete mit belegter Stimme: „Ich bin Anton Fick, geboren in Ost-Berlin, 1978. Anschrift hab ich keine. Lebe seit der Wende auf der Straße.“ Er räusperte sich erneut. „War eben nicht für jeden so ne tolle Sache – die Wiedervereinigung.“

„Herr Fick, Sie waren doch mit Juliane Bakkermann gut bekannt, oder soll ich sagen befreundet?“ Frau Eichhorn sah ihr Gegenüber forschend an. Die lästige Maske erschwerte ihr, den Gesichtsausdruck des Mannes zu studieren. Seine Miene schien ausdruckslos zu bleiben.

„Auf der Straße gibt es keine Freunde“, stieß er böse hervor. „Da herrscht das Recht des Stärkeren.“ Er schwieg für einen Moment, während er die Augen niederschlug. Lina wartete geduldig.

„Die Jule ist allerdings was besonderes. Die hat Herz und Verstand, wenn Sie verstehen, was ich meine. Wir kennen uns schon seit Jahren. Sind uns immer wieder über den Weg gelaufen. Jule will aber von der Straße weg. Ich glaub, sie zieht zu ihrer Schwester, das Glückskind.“ Er rang seine schmutzigen Hände und kratzte sich dann den Hinterkopf.

„Ja, sie scheint offenbar Vertrauen zu Ihnen gefasst zu haben, wenn Sie das erzählt hat. Wann haben Sie Jule denn zuletzt gesehen?“

Er schien zu überlegen. Plötzlich hellte sich sein Blick auf. „Oh, ich weiß wieder“, stieß er hervor. „Wir waren gemeinsam im Treff. Haben Kaffee getrunken und bisschen gequatscht. Da hat sie mir das von ihrer Schwester erzählt. Und ich hab ihr das von dem alten Haus gesteckt. Dort kann man bestens campieren, und es gibt sogar ne Feuerstelle.“

„Wann war denn das, Herr Fick?“, fragte die Hauptkommissarin ungeduldig dazwischen. Sie verspürte plötzlich das dringende Bedürfnis nach ein paar tiefen Atemzügen an frischer Luft.

„Wann?“ Lange blickte er zur Decke, als wäre die Antwort dort abzulesen. Er fuhr mit dem Zeigefinger unter die Maske, um sich ausgiebig seinen verfilzten Bart zu kratzen. „Wann war denn das nun?“, stammelte er hilflos.

„Ja, ist es sehr lange her, oder war es vor kurzem?“, versuchte Lina ihm auf die Sprünge zu helfen. Sein Gedächtnis schien nicht mehr richtig zu funktionieren, was wahrscheinlich auf den regelmäßigen Alkoholkonsum zurückzuführen war.

„Ach, ich weiß jetzt wieder! Der Fiddi war auch dabei. Der kann es Ihnen sagen, Frau Kommissarin. Den können Sie fragen, ob ich die reine Wahrheit gesagt habe. - Und dann würd ich jetzt gern gehen. Ich hab nämlich noch wichtige Angelegenheiten.“ Er erhob sich ungelenk vom Stuhl, ergriff leicht zitternd einen schmuddeligen Rucksack, der neben ihm gestanden hatte und wandte sich der Tür zu.

Frau Eichhorn hielt ihn nicht auf. Er musste sicher seinen Alkoholpegel dringend auffüllen. Es würde keinen Sinn machen, ihn gegen seinen Willen weiter zu befragen. Vielleicht konnte dieser Fiddi später genauere Angaben zum Zeitpunkt dieses Treffens machen.

„Dann vielen Dank, Herr Fick, für Ihre Unterstützung. Sagen Sie Fiddi bitte, dass wir ihn unbedingt sprechen möchten“, rief sie dem leicht hinkenden Mann hinterher, als der eilig das Polizeirevier verließ.

Sie nahm die Maske kurz ab, aber der Gestank im Verhörraum ließ sie würgen. Schnell stürzte sie in ihr Büro und riss dort das Fenster auf. Frischer Wind blies ihr ins Gesicht. Sie atmete tief ein und aus. Draußen leuchtete das imposante Gebilde des Wasserturms im Sonnenschein.

„War es so schlimm, Frau Kollegin?“ Andreas Pantekook stand, wie aus dem Boden gestampft, hinter ihr und seine Augen schmunzelten mitfühlend.

Sie zog die Maske wieder ordentlich über Mund und Nase, dann schloss sie resolut das Fenster. Der Mann hatte die unangenehme Eigenart sich anzuschleichen! Das mochte sie noch weniger, als seine übermäßige Betulichkeit.

„Na, ja, es ist wie es ist. Die Leute sind obdachlos. Da muss man seine Erwartungen auf ein Minimum zurückschrauben. Herr Fick war jedenfalls nicht verstockt und durchaus bereit, uns zu helfen. Allerdings konnte er sich nicht mehr auf den Zeitpunkt seines letzten Gespräches mit Juliane

Bakkermann besinnen. Ich vermute, dass es am Mittwochvormittag war, wie der Betreuer des Tagesaufenthaltes sich zu erinnern glaubte. Wenn wir diesen Fiddi noch erwischen, werden wir vielleicht mehr erfahren."

„Ich könnte nochmal kurz beim Tagesaufenthalt vorbeischauen. Vielleicht habe ich Glück und erfahre was Aufschlussreiches. Dann bringe ich uns hinterher was leckeres zum Essen mit. Was halten Sie davon, Lina?" Andreas stand schon in der geöffneten Tür und schien ihre Zustimmung vorwegzunehmen.

Lina zögerte kurz, aber was Essbares könnte sie sehr gut vertragen. Ihr Magen meldete sich schon allein bei diesem Gedanken. Also nickte sie: „Überredet! Aber lassen Sie sich Zeit. Ich werde derweil die Fakten durchgehen, die sich bisher ergeben haben."

Sie hatte eine Weile über den Tatsachen gebrütet, die ihnen bei diesem verstörenden ungewöhnlichen Tötungsdelikt inzwischen bekannt waren, als es an ihre Tür klopfte. Ohne die Aufforderung zum Eintreten abzuwarten, stand Joe Kokker unvermittelt im Raum. Er griff sich einen Besucherstuhl und hockte sich ihr gegenüber an den Schreibtisch.

„Hallo, Lina! Ich muss dir unbedingt noch was zeigen. Ist wirklich interessant, deshalb kann es nicht warten.“ Er kramte seine Kamera aus der Tasche, stellte daran herum und reichte sie ihr dann rüber.

Als sie danach griff, berührten sich ihre Finger unabsichtlich. Es durchzuckte sie wie ein Blitz. Alles Blut strömte in ihren Solarplexus und von dort direkt in den Unterleib. Trotzdem lief sie rot an, während sie bemüht lässig auf die gezeigten Digitalfotos schaute.

Nun kam er auch noch um den Schreibtisch herum und stellte sich direkt hinter sie! Er roch nach frischer Luft, irgendeiner holzigen Männernote und einem kleinen Hauch Knoblauch – gerade soviel, um sie noch hungriger zu machen.

„Da, schau mal! Miranda hat die Schnitte ein wenig eingefärbt, damit sie besser heraustreten. Das war ein genialer Einfall von ihr.“ Er klickte durch mehrere Fotos, auf denen die seltsamen kleinen Schnitte deutlich zu sehen waren.

Lina Eichhorn musste sich wieder gewaltig gegen das aufkommende Gefühl von Eifersucht anstemmen. Er nannte die junge Ärztin Miranda. Wer weiß, was sonst noch zwischen den beiden vorgefallen war, nachdem Andreas und sie die Pathologie verlassen hatten.

„Ja, sieht fast aus, wie ein Muster“, rang sie sich ab, wobei ihre Stimme vor Erregung leicht zitterte.

„Was hältst du von *Zeichen* - vielleicht Schriftzeichen? Ich wette die haben eine wichtige Bedeutung für den Fall. Der Täter hat immerhin erheblichen Aufwand getrieben und sich auch der Gefahr einer Entdeckung ausgesetzt, als er den Kopf an sich nahm. Ich werde wegen der Muster im Internet recherchieren, wenn du einverstanden bist. Vielleicht bekomme ich auch noch was über Rituale heraus, bei denen Köpfe Verwendung finden.“ Er nahm ihr geschäftig die Kamera aus der Hand, ergriff hastig seine Tasche und schritt, ohne ihre Antwort abzuwarten, zur Tür.

Im Hinausgehen rief er über die Schulter zurück: „Schönen Feierabend wünsche ich dir, Lina. Wir sehen uns!“

„Ja, vielen Dank, Joe“, stammelte sie frustriert gegen die bereits geschlossene Tür.

Einige Zeit später, Lina hatte sich wieder gefangen, tauchte Pantekook mit dem Mittagessen auf. Er hatte leider Fiddi wieder nicht angetroffen, aber von Carsten die feste Zusage erhalten, dass er sie benachrichtigte, sobald der Wohnungslose im Tagesaufenthalt auftauchte.

Während sie sich beide hungrig über das Fastfood hermachten, berichtete Lina kurz von den Anregungen, die Joe ihr unterbreitet hatte. Andreas war von der Mitarbeit des Kollegen sehr erfreut.

„Ich werde gleich mal nach oben schauen, ob Joe schon was neues rausgefunden hat. Vielleicht wird das der Durchbruch. Sie können doch eigentlich Feierabend machen. Oder wollen Sie gern noch mitkommen, Lina?“ Er räumte die Abfälle zusammen und war schon im Begriff den Raum zu verlassen.

Wollten die Kollegen sie denn heute alle herumkommandieren und handelten über ihren Kopf hinweg? Offensichtlich war keiner wirklich an ihrer Meinung interessiert. Sie fühlte so etwas wie Groll in sich hochsteigen.

Andererseits wollte sie heute unbedingt einer weiteren Begegnung mit Joe Kokker aus dem Weg gehen. Also schluckte sie ihren Unmut herunter und antwortete lahm: „Ja, gut. Ich schaue noch schnell nach den E-Mails, und dann bin ich weg. Schönen Feierabend, Andreas!“

Pantekook verabschiedete sich betont freundlich von ihr und schloss sanft die Tür.

18. Freundschaft

Daniel Hackenbruch, genannt Hacke und Jonas Fokken radelten in der aufkommenden Dunkelheit hintereinander her. Sie waren im Kino gewesen und nun auf dem Weg nach Hause. Der Film war so lala, fand Jonas. Nicht genug Blut und Action. Aber darauf kam es diesmal auch nicht unbedingt an.

Diese kleine Blonde mit den üppigen Titten – sie hieß Melissa und ging in Jonas Klasse – hatte mit ein paar Freundinnen eine Reihe vor ihnen gesessen. Sie hatten die Mädchen während der gesamten Vorstellung genervt. Eine lange Rothaarige verstreute kreischend ihr Popcorn in alle Himmelsrichtungen, als Hacke kackfrech den Reißverschluss an ihrem Kleid aufzog. Jonas wagte es nur, zwei anderen mit seinen dicken schwitzenden Fingern die Frisuren zu zerwühlen. Erntete dafür auch reichlich böse Worte, über die sich die Jungen köstlich amüsierten.

Dann kurz vor Schluss hatte Hacke die Dreistigkeit besessen, mit beiden Händen über die Rückenlehne nach vorn zu grapschen und Melissas dicke Möpse zu kneten. Das hatte ihm eine saftige Ohrfeige eingebracht, und sie mussten noch vor Ende der Vorstellung fluchtartig aus dem Kino abhauen.

Lustig war es trotzdem gewesen. Ein Nachmittag ganz nach Jonas Geschmack. Schön, dass er und Hacke so gute Freunde waren!

Sie fuhren gerade auf dem Radweg nach Borssum hinein. Es war wenig Betrieb auf der Straße. Links von ihnen lag der verlassene Parkplatz des ehemaligen Supermarktes. Das Gebäude stand seit einiger Zeit leer.

Hacke drehte sich zu Jonas um und rief: „Komm, wir wollen eine smoken!“ Er lenkte sein Rad auf den menschenleeren großen Platz direkt in Richtung des ehemaligen Eingangsbereichs. Dort befanden sich noch die Fahrradständer und die Abstellvorrichtungen für die Einkaufswagen, die eine hervorragende Sitzgelegenheit boten. Sie hatten hier schon öfter eine Kippe geraucht oder ein paar Bierchen gezischt, zumal die Überdachung auch bei Wind und Wetter Schutz gab. Jetzt lag alles im Dämmerlicht dieses bewölkten Spätsommerabends.

Sie stellten ihre Räder ab, und Jonas zog die Packung mit den Kippen aus der Jackentasche. Jeder eine brennende Zigarette zwischen den Lippen lümmelten sie sich auf den Stangen, hinter denen ehemals die Einkaufswagen ordentlich aneinandergereiht auf Kunden gewartet hatten.

Aus dem Nichts ertönte plötzlich ein gewaltiger Furz. Im ersten Augenblick sah Hacke Jonas vorwurfsvoll an. Dann schaute er jedoch über die Schulter in Richtung des ehemaligen Eingangs. Es regte sich nichts, aber dort schien jemand zu hocken.

Mit einer fließenden Bewegung rutschte der schlanke Junge von der Stange und begab sich völlig lautlos zu der Stelle, von der das Geräusch ausgegangen zu sein schien. Jonas folgte ihm zunächst nur mit den Augen.

„Hallo! Das ist hier kein Asylantenwohnheim. Du Arsch verpestest uns die Luft. Verpiss dich gefälligst!“ Hacke baute sich vor der Person auf und sprach in einem Befehlston, der Jonas unwillkürlich zusammenzucken ließ. Er stiefelte seinem Freund brav hinterher, weil er seinen Unmut nicht auf sich ziehen mochte.

Der Obdachlose erwachte aus seinem tiefen Schlaf und sah die beiden Jungen, die sich im schwachen Gegenlicht vor ihm aufgebaut hatten, mit verwirrtem Blick an.

„Nun lasst mich doch hier pennen. Ich tu doch niemandem was“, murmelte er defensiv. Er wollte Ärger vermeiden.

„Du elender Penner, pack deine Sachen und verschwinde – aber bisschen plötzlich, sonst mach ich dir Beine.“ Hacke stieß den Mann mit seinem Fuß an. Der wollte daraufhin seine Sachen zusammenpacken und begann sich mühsam aufzurappeln. Völlig unvermittelt sprang ihm der Junge mit aller Wucht ins Kreuz. Mit einem jämmerlichen Schmerzensschrei kippte der Obdachlose vornüber. Er schlug sich an der Hauswand den Kopf auf. Blut rann über sein Gesicht.

„Du elende Schwuchtel, ich werde dir zeigen, was du verdienst“, schrie Hacke jetzt außer sich. Er war in Rage, und Jonas fürchtete um das Leben des Mannes. Gut, dass wir keine Waffen bei uns haben, dachte er flüchtig.

Aber Hackes Körper war eine gefährliche Waffe!

Mit mehreren gezielten Schlägen und einstudierten Tritten malträtierte er den Leib des hilflosen Mannes, bis dieser röchelnd und blutüberströmt am Boden lag und sich nicht mehr bewegte. Dann drehte er sich schroff zu seinem Freund um und blaffte diesen an: „Was glotzt du so blöde, Jonas? Hättest mir auch bei der Säuberungsaktion helfen können! Nun gib mir schon ne neue Kippe!“

Er zündete sich vollkommen unbeeindruckt von seiner brutalen Aktion die Zigarette an und schlenderte zu den Fahrradständern zurück, ohne sich weiter um den Schwerverletzten zu kümmern.

Als die blutige Zigarettenpause beendet war, radelten die beiden ungleichen Freunde, ohne noch ein weiteres Wort über das Geschehen zu verlieren, weiter.

Wie gewöhnlich nach einem gemeinsamen Kinobesuch strebten sie noch nicht gleich nach Hause, sondern hielten bei einem beliebten Imbiss auf der Strecke an. Sie stellten gewohnheitsmäßig ihre Räder ab und betraten die Örtlichkeit. Im Moment waren sie die einzigen Gäste.

Jonas gab an der Theke ihre übliche Bestellung auf, um sich dann neben Hacke an einen der spartanischen Tische zu hocken. Hier war alles sauber und zweckmäßig. Für eine bequeme gehobene Einrichtung mit geschmackvoller Deko, war kein Geld verschwendet worden.

Da Rauchen verboten war, nippten sie an ihren Colas und warteten auf das Fastfood.

„Die Melissa hat das gewisse Etwas“, murmelte Hacke zwischen zwei Schlucken. „Ich glaube, die würde uns beide mal ranlassen. Wir müssen sie nur richtig bearbeiten. Ihre Titten sind echt geil. Und ich denke, sie hat meine Massage genossen. Die musste nur vor den anderen Bitches so tun, als wäre sie schockiert.“

Jonas sah ihn mit großen Augen an. Bei Hackes Worten kribbelten seine Lenden. Er fand Melissa auch sehr sexy. Aber bei ihr standen alle Jungen aus seiner Schule Schlange. Wie sollte er an die rankommen?

Das Essen war fertig, und Jonas holte es vom Tresen zum Tisch. Hungrig machten sich die beiden Halbwüchsigen darüber her.

„Ich mache einen Plan, wie wir mit Melissa weiter vorgehen. Wer weiß, was sich da noch für unterhaltsame Möglichkeiten auftun.“ Hacke sah Jonas über seinen halbleeren Teller hinweg vielsagend an. Er stocherte noch eine Weile in seinen Pommes herum, um das Essen dann angewidert zur Seite zu schieben.

Jonas stopfte nur umso schneller alles in sich hinein, als fürchte er, dass sein Freund aufbrechen würde, bevor er aufgegessen hatte.

„Nun friss nicht wieder wie ein Schwein, Jonas! Du wirst wohl niemals Tischmanieren lernen." Hacke starrte angeekelt auf seinen mit vollen Backen kauenden Freund. Dann bekam er plötzlich diesen abwesenden Blick, der Jonas an den Samurai erinnerte und deshalb seinen gesamten Körper mit einer Gänsehaut überzog. Das Kauen fiel ihm plötzlich schwer.

„Vielleicht habe ich auch eine noch bessere Verwendung für die kleine Melissa …" Er stierte eine Weile vor sich hin und grinste dann böse wie Beelzebub persönlich. „Aber statt des hohlen Kopfes müsste man ihre Titten als Erinnerung behalten."

19. Neue Hinweise

Lina Eichhorn traf am Mittwochmorgen als erste im Kommissariat ein. Da sie am Tag zuvor früher Feierabend gemacht hatte, war sie gut ausgeschlafen und innerlich zufrieden. Nachdem sie ihre Jacke aufgehängt und den Computer gestartet hatte, gab sie der neuen Zimmerpflanze ein wenig Wasser. Da sie nicht sicher sein konnte, ob jemand von den Kollegen sich ebenfalls um sie kümmerte, versuchte sie, das arme einsame Gewächs wenigstens nicht zu ertränken.

Sie hatte nicht lange friedlich an ihrem Schreibtisch gesessen, als auch schon abrupt die Tür geöffnet wurde. Andreas trat ein. Er hatte einen hochroten Kopf, als wäre er gerannt, und seine Stimme wollte ihm nicht gehorchen.

„Stellen Sie sich vor, Lina, was heute Nacht passiert ist! Wir haben schon wieder einen Übergriff auf einen Obdachlosen. Glücklicherweise lebt der, aber sie mussten ihn in die Klinik einliefern. Ich werde gleich mal nachfragen, ob der Mann vernehmungsfähig ist.“ Pantekook griff nach dem Telefon auf Linas Schreibtisch, um die Emder Klinik anzurufen. Leider war der behandelnde Arzt nicht sofort greifbar. Er wurde deshalb auf den späten Vormittag vertröstet, zumal es dem Patienten noch sehr schlecht ging.

Da ein schriftlicher Bericht über die Vorgänge in der Nacht nicht vorlag, begaben sich die beiden Hauptkommissare zur morgendlichen Lagebesprechung, um einige wichtige Informationen von den Kollegen der Schutzpolizei zu erhalten.

Die Besprechung hatte schon begonnen, als Lina und Andreas dazu stießen. Sie erhielten aber noch ausreichend Gelegenheit, alle Einzelheiten des Falles von schwerer Körperverletzung, der sich im Stadtteil Borssum zugetragen hatte, zu erfahren. Ein LKW-Fahrer, der sich verfahren hatte und den leeren Parkplatz gegen Mitternacht für eine kurze Pause und zum Wenden benutzte, hatte den blutüberströmten Mann im Scheinwerferlicht zufällig entdeckt und daraufhin Polizei und Rettungsdienst informiert.

Die Polizisten berichteten, dass der Verletzte trotz seiner zahlreichen schmerzhaften Verletzungen ansprechbar gewesen sei. Sie hatten aber nur unverständliches Gestammel von ihm vernommen, da das Gesicht extrem angeschwollen und seine Lippen entsetzlich aufgeplatzt gewesen waren.

Weil der Mann Papiere bei sich führte, kannten sie seinen Namen. Er hieß Gotthilf Friedrichs und war zurzeit wohnungslos.

Die Hauptkommissarin hörte sich die Informationen wortlos an. Es wurde schon genug durcheinandergeredet und spekuliert, weil der brutale Fall die Gemüter aller anwesenden Gesetzesvertreter offensichtlich nicht kalt ließ.

Ob tatsächlich ein Zusammenhang mit dem Tötungsdelikt bestand, war fraglich. Im schlimmsten Fall hatten sie es mit einem Serientäter zu tun, der sich auf Obdachlose spezialisiert hatte. Vielleicht handelte es sich aber um einen Racheakt im Milieu, oder das Tatmotiv war ein vollkommen anderes.

Sie musste schnellstens mit dem Verletzten sprechen, um Licht ins Dunkel zu bringen!

Flüchtig winkte sie Andreas zu, der sich am anderen Ende des Raumes mit einem älteren hochgewachsenen Polizisten unterhielt, und verließ die Versammlung. Sie würde nochmals in der Klinik anrufen, um möglichst schnell eine Befragung durchführen zu können. Erfahrungsgemäß verblassten die Erinnerungen der Betroffenen schnell oder verwandelten sich in haltlose Spekulationen, je mehr Zeit verstrich.

Tief in Gedanken schritt sie über den Flur in Richtung ihres Büros, als ihr von hinten jemand auf die Schulter tippte.

„Moin, Lina! Schön, dass du schon da bist. Ich hab nämlich ein paar interessante Neuigkeiten. Der Fall hat mich heute Nacht um den Schlaf gebracht.“ Joe Kokker sah so frisch aus und lächelte sie derart unwiderstehlich an, dass von Schlafmangel beim besten Willen nichts zu bemerken war.

„Ach! Hallo, Joe! Dann komm am besten gleich mit in mein Büro. Vielleicht kann ich uns einen Kaffee organisieren“, antwortete Frau Eichhorn, während ihr Blutdruck auch ohne Kaffee schon wieder merklich anstieg.

Die Sekretärin hatte vorsorglich eine Warmhaltekanne mit Kaffee in der kleinen Küche bereitgestellt, sodass die Hauptkommissarin sehr schnell mit einem Tablett in ihr Büro zurückkam. Kokker saß bereits an ihrem Schreibtisch. Er machte aber sofort Linas Platz frei und nahm sich einen Besucherstuhl. Sie schenkte Kaffee ein. Er trank ihn schwarz mit Zucker. Sie bevorzugte wie immer viel Milch.

Während sie schweigend die ersten Schlucke nahmen, knisterte die Atmosphäre zwischen ihnen.

In diesem Augenblick stürmte Andreas ins Zimmer. Glücklicherweise schlug er nicht die Tür hinter sich zu, was Lina wirklich hasste. Er sah zwischen beiden hin und her, besann sich dann offenbar, dass er Joe noch nicht begrüßt hatte und holte das nach. Danach hockte er sich ebenfalls auf einen Besucherstuhl.

„So", meinte Joe Kokker ruhig, „dann sind wir ja wohl komplett, und ich kann anfangen. Also, wie ich schon sagte, es hat mich die gesamte vergangene Nacht gekostet, ein wenig Licht ins Dunkel um diesen mysteriösen Fall zu bringen."

Pantekook klopfte dem Kollegen daraufhin wohlwollend auf die Schulter und meinte: „Wir wissen das zu schätzen Joe. Ich werde es wieder gut machen."

Joe Kokker lächelte strahlend, wobei seine Augen über der Maske verlockend funkelten, was Lina fast in den Wahnsinn trieb, dann setzte er aber zügig seinen Bericht fort: „Ich werde euch nun nicht mit den ganzen Umwegen langweilen, die mich schließlich auf die richtige Spur geführt haben, und fasse mich stattdessen kurz. Es handelt sich bei den Schnittspuren im Gesicht der Toten tatsächlich um Schriftzeichen, wenngleich sie, aufgrund der Schwierigkeiten mit denen der Schreiber – beziehungsweise der Ritzer – zu kämpfen hatte, nicht ganz exakt gelungen sind. Dennoch konnte ich sie mit der freundlichen Hilfe eines guten Freundes sogar entziffern." Er warf einen triumphierenden Blick in die Runde.

„Der Mörder – sofern er oder sie hier selbst tätig geworden sein sollte – hat uns eine Botschaft auf Japanisch zukommen lassen. Es handelt sich um einen Namen: Saigo Takamori."

Joe legte wieder eine kleine Atempause ein, die Andreas nutzte, um sofort aufgeregt dazwischen zu fragen: „Was, der Täter hat uns seinen Namen aufgeschrieben?"

„Na, ganz so blöde war der nicht. Ich glaube sogar, dass er einigermaßen intelligent ist. Denn wer kann schon Japanisch? Es sei denn, er wäre selbst Japaner. Mit diesem Namen hat es aber eine ganz andere Bewandtnis. Er ist überaus berühmt. Es ist nämlich der Name des letzten japanischen Samurai. Der ist allerdings, wie Ihr euch denken könnt, schon lange tot."

„Samurai? Das waren doch diese sagenumwobenen japanischen Krieger mit den scharfen

Schwertern? Liege ich richtig, wenn daraus der Karate-Sport entstanden ist?", wollte Lina wissen.

„Ja, das ist ungefähr richtig. Die leicht gebogenen langen Schwerter heißen Katana. Karate hingegen bedeutet ‚ohne Waffe'. Dabei werden keine Schwerter mehr benutzt. Die alte Tradition der Samurai gehört längst der Vergangenheit an. Die waren aber eigentlich an sehr strenge Regeln gebunden. Töten durften sie nur in Fällen von Gesetzesbrüchen. Und dann handelte es sich bei den Delinquenten auch meist um Menschen aus der Unterschicht. Ansonsten hatten sie einen äußerst anspruchsvollen Ehrenkodex. Da passt dieser Mord nur schlecht hinein.", erklärte Joe weiter.

„Aber die Tatwaffe würde vielleicht dazu passen", sinnierte die Hauptkommissarin.

Die beiden Kollegen nickten nachdenklich.

Joe erhob sich und reichte Lina ein Blatt Papier. „Ich hab die Zeichen hier nochmal exakt aufgemalt. Daneben steht die Übersetzung. Nun seid Ihr dran, herauszufinden, was es damit auf sich hat. Viel Spaß beim Rätseln! Wenn Ihr mich braucht, bin ich ab morgen wieder erreichbar. Jetzt genehmige ich mir eine Mütze voll Schlaf.

Tschüss dann!“ Bevor Lina und Andreas antworten konnten, war er verschwunden.

„Wir könnten der Pathologie einen Tipp geben, bezüglich des Schwertes. Vielleicht bestätigen sie unseren Verdacht. Allerdings – wo soll der Täter so ein altes Samurai-Schwert herhaben?“ Andreas erhob sich gedankenvoll, und schickte sich an, in sein eigenes Büro zu gehen.

„Dann kümmere du dich doch bitte um Frau Dr. Hogeboom. Ich würde derweil ins Krankenhaus fahren, um mit Herrn Friedrichs und seinem behandelnden Arzt zu sprechen“, schlug Frau Eichhorn vor. Der Hauptkommissar nickte nur und schlurfte durch die Tür davon.

20. Im Krankenhaus

Lina Eichhorn machte sich, ohne vorher nochmals anzurufen, zur Emder Klinik auf. Sie wurde von einem Streifenwagen gefahren. Ihr Fahrer war der junge Kollege mit dem sie die Nachbarn in Hilmarsum befragt hatte. Er erwies sich während der Fahrt als äußerst schweigsam, was der Hauptkommissarin entgegenkam, weil sie ungestört ihren Gedanken nachhängen konnte.

Der Fall bereitete ihr Kopfzerbrechen.

Im Krankenhaus angekommen, verlangte man von ihr einen Corona-Schnelltest, den sie nicht vorweisen konnte. Nachdem sie ihr wichtiges Anliegen vorbrachte, erbot man sich freundlicherweise, den Test in der Klinik durchzuführen. Sie wurde in die entsprechende Abteilung begleitet und stand dann, nach der lästigen Prozedur, eine halbe Stunde später endlich im Krankenzimmer des geschundenen Obdachlosen.

Eine freundliche Krankenschwester hatte sie herein gelassen und versprochen, dass der behandelnde Arzt in einigen Minuten dazu stoßen würde.

Gotthilf Friedrichs lag schwer bandagiert und eingegipst im Bett eines freundlichen Einzelzimmers. Frau Eichhorn begrüßte den Mann kurz, als sie sah, dass er wach war. Seine Stimme war leise. Er nuschelte stark, als er ihren Gruß erwiderte. „Nennen Sie mich doch bitte Fiddi, Frau Hauptkommissarin. Das bin ich gewohnt", fügte er hinzu.

„Ach, Sie sind Fiddi?" Sie war überrascht. Nahm der Fall eine noch seltsamere Wendung? „Dann kannten Sie Juliane Bakkermann ganz gut?"

„Ja, kann man so sagen. Die Jule ist ne ganz Liebe." Fiddi bekam einen leichten Hustenanfall und verzog qualvoll das Gesicht, soweit unter den Verbänden davon noch etwas zu erkennen war. Mit der linken Hand drückte er gegen seine schmerzenden Rippen.

Lina warf ihm einen mitfühlenden Blick zu. „Kann ich Ihnen irgendwie helfen? Möchten Sie vielleicht einen Schluck Wasser?"

„Ne, das Schlucken tut höllisch weh. Aber Danke, es wird schon gehen."

„Bevor wir uns der gestrigen Nacht zuwenden, in der Sie so übel zugerichtet wurden, möchte ich Ihnen gern eine Frage zu Jule stellen. Wann haben Sie die Frau zuletzt gesehen, und erinnern Sie sich vielleicht an Einzelheiten dieses Treffens?“

Fiddi schwieg einen Moment nachdenklich, dann antwortete er schleppend und so leise, das Lina nahe an sein Bett heran treten musste: „Wenn ich mich recht besinne, war das genau vor einer Woche am Mittwoch, so kurz vor Mittag im Tagesaufenthalt. Anton war auch dabei. Wir haben Kaffee getrunken. Jule hat von ihrer Schwester erzählt, glaube ich. Aber Anton quakte dauernd dazwischen. Irgendwas von so ‘nem leer stehenden Haus. Ich glaub das ist in Hilmarsum. Der hat sein Gehirn schon fast versoffen. Die beiden sind hinterher abgehauen. Ob die zu dem Haus wollten, weiß ich nicht. Aber der Anton zitterte schon gewaltig. Der musste erst mal dringend seinen Pegel auffüllen.“ Der Mann seufzte und rieb sich den Verband am Kinn. Sein zugeschwollenes linkes Auge zuckte leicht.

„Ja, vielen Dank, das hilft uns möglicherweise ein wenig weiter, Herr Friedrichs. Wenn ich Sie nicht zu sehr strapaziere, wäre ich für eine Schilderung des gestrigen Angriffs auf Sie sehr dankbar. Wir wollen natürlich den oder die Schuldigen so schnell wie möglich dingfest machen“, bat sie freundlich.

In diesem Moment betrat der behandelnde Arzt den Raum.

„Ach, Sie befragen den Patienten schon, ganz ohne meine Zustimmung? Der Mann ist sehr schwer verletzt und sollte so wenig wie möglich reden. Eigentlich muss er viel Ruhe haben."

Lina Eichhorn stellte sich besonders liebenswürdig vor und zeigte ihren Ausweis. Der Mediziner grinste sie daraufhin breit an, sodass seine strahlend weißen Zähne sie aus seinem schwarzen Gesicht anzuspringen schienen, und nannte ebenfalls seinen Namen. Er hieß Dr. Amaniel und wurde zunehmend entgegenkommender. Mit Einverständnis des Patienten erklärte er Lina, welche Verletzungen dieser genau davon getragen hatte. Es war eine lange Liste, die die Hauptkommissarin innerlich zusammenzucken ließ.

„Herr Friedrichs wurde sowohl getreten, als auch mit Handkantenschlägen bearbeitet. Das muss ein ganz übler Schläger gewesen sein, der einiges an Kraft hatte. Die noch ausstehenden Untersuchungen, werden uns Aufschluss darüber geben, wie stark die Wirbelsäule in Mitleidenschaft gezogen wurde. Hoffentlich finden Sie den Täter schnell, Frau Eichhorn. Arbeiten Sie denn ganz allein? Haben Sie keine hilfreichen Kollegen?"

Lina wusste nicht, ob es Ungläubigkeit oder Respekt war, was aus den Augen Dr. Amaniels sprach.

„Natürlich sind wir ein Team – eine SoKo. Aber in Zeiten von Corona wollte ich die Befragung vorsichtshalber allein durchführen“, antwortete sie fast wahrheitsgemäß.

Der Arzt wirkte erfreut und erlaubte ihr, den Patienten noch kurz zum Tathergang zu befragen, dann verabschiedete er sich geschäftig.

„Fiddi, Ich möchte Sie nicht länger quälen, als unbedingt nötig. Würden Sie mir dann bitte schildern, wie Sie sich an den gestrigen Tathergang erinnern?“ Die Hauptkommissarin zog sich einen Besucherstuhl gleich neben das Krankenbett, um die Aussage aufzunehmen.

„Ich war dort in Borssum vor dem leer stehenden Supermarkt eingepennt. Da hat mich plötzlich ein Geschrei geweckt. Das waren zwei Jugendliche, die mich dort vertreiben wollten. Erst dachte ich, dass ich die beruhigen könnte. Es ist nämlich ne besonders schöne Stelle zum campieren, windgeschützt und überdacht. Aber der Eine von den Beiden wurde richtig aggressiv und fing sofort an, mich zu treten. Ich kam gar nicht dazu, mich aus dem Staub zu machen.“ Er schaute die

Hauptkommissarin leidend an und schluckte schwer.

„Die Angreifer waren Jugendliche, und sie waren zu zweit?", fragte sie erstaunt. „Haben Sie die beiden jungen Leute erkannt? Könnten Sie sie vielleicht genauer beschreiben?"

„Es war schon fast dunkel, und ich schaute gegen das Licht der Straße im Hintergrund an. Ihre Gesichter lagen also im Schatten. Aber sie waren beide ziemlich groß. Der mich getreten hat war eher schlank und sehr drahtig, also sehr beweglich und stark. Der andere war ein Fettkloß, bestimmt doppelt so breit. Der stand nur rum und hat kein Wort rausbekommen. Aber der hat mir auch nichts getan. Die Verletzungen hab ich nur von dem Dünnen. Der konnte treten und schlagen, dass mir Hören und Sehen verging – und das alles in Null-Komma-Nix."

„Was denken Sie, wie groß die Angreifer etwa waren? Vielleicht einen Meter und achtzig oder eher kleiner? Und haben Sie die Frisuren oder Haarfarben erkannt?" Die Hauptkommissarin versuchte Fiddi zu konkreten Angaben zu bringen.

„Haarfarbe konnte ich keine erkennen. Sie wissen schon – nachts sind alle Katzen grau!" Er verzog den Mund, als wolle er lächeln, aber das schmerzte ihn und misslang jämmerlich.

„Was die Größe angeht … könnte vielleicht stimmen … so um die Eins achtzig … Aber ich lag doch die ganze Zeit am Boden, da ist das schlecht zu schätzen. Sie trugen Sportschuhe und Jeans. Die Jacken waren dunkel. Beide Bengels haben geraucht.“

Lina Eichhorn war schon ziemlich zufrieden mit der bisherigen Aussage. Weil es sich um zwei Jugendliche handelte, erschien es jedoch unwahrscheinlicher, dass sie auch die brutalen Mörder der alten Jule waren.

„Sie erwähnten vorhin, dass der Täter Sie angeschrien hätte, um Sie zu vertreiben. Was hat der denn so gesagt? Und konnten Sie einen Dialekt erkennen oder vielleicht einen Akzent?“

„Der hat mich *Penner* genannt und *Schwuchtel* und solche Sachen. Dass ich ihre Luft verpeste und verschwinden soll. Bei dem anderen hat er sich zum Schluss beschwert, weil der ihm bei der *Säuberungsaktion* nicht geholfen hat. Der Junge hatte keinen Akzent. Der sprach Hochdeutsch wie in der Schule.“ Fiddi bemühte sich mit dem Finger der linken Hand unter den Gipsverband zu tasten. Es juckte ihn. Unverrichteter Dinge brach er den Versuch frustriert ab.

„Wie alt schätzen Sie die beiden Jugendlichen? Und haben Sie vielleicht noch irgendetwas aufgeschnappt, was uns bei der Identifizierung helfen könnte." Lina war klar, dass sie den Verletzten über Gebühr strapazierte, aber sie musste möglichst viele Erinnerungen aus im heraus kitzeln, solange die noch frisch waren.

„Das Alter kann ich schlecht schätzen. Vielleicht so fünfzehn/sechzehn? Sie hatten Fahrräder bei sich. Ich konnte erkennen, dass sie in Richtung Borssum weitergefahren sind – nicht Richtung Emden-Innenstadt." Fiddi schloss für einen Moment die Augen.

Die Hauptkommissarin befürchtete schon, dass er vor Erschöpfung eingeschlafen sei, aber dann sprach er plötzlich noch leiser weiter: „Der Schläger hat den anderen mit seinem Namen angesprochen. Wahrscheinlich dachte er, ich sei schon völlig hinüber. Aber ich bin ein zäher Kerl und hab mich nur tot gestellt. Die Straße macht dich hart – oder sie bringt dich um!"

Lina Eichhorn wurde nervös. Er hatte den Namen eines der Jugendlichen gehört! Das könnte die Fahndung nach den Tätern erheblich erleichtern.

„Wie war denn der Name? Können Sie sich daran erinnern, Fiddi?“

Er kniff wieder die Augen zu. Dann tippte er sich vorsichtig mit dem Zeigefinger an die Stirn.

„Hier ist er irgendwo gespeichert, aber es ist wie verflixt – ich kann ihn einfach nicht wiederfinden!“

„Lassen Sie sich Zeit. Notfalls kann ich auch nochmal wiederkommen. Wenn man sich so verzweifelt an etwas erinnern möchte, klappt es manchmal nicht. Aber später gibt das Gehirn den Gedanken ganz mühelos preis. Das kennt doch jeder!“ Lina brachte den Besucherstuhl an seinen Platz zurück und wollte sich verabschieden, da ging plötzlich ein Rucken durch Fiddis Körper.

„Ich hab's, glaube ich, Frau Kommissarin! Es war ein Name aus der Bibel. Das kam mir irgendwie seltsam vor. Solche Taugenichtse und dann ein biblischer Name! Aber die Eltern können ja bei der Geburt nicht wissen, was aus ihren Kindern mal wird. Also, mir fiel wieder ein, dass es der aus der Geschichte mit dem Fisch war – Sie wissen schon.“

Sie blickte ihn für einen Moment sehr irritiert an. Was meinte er bloß?

„Jonas! Der von dem großen Fisch verschlungen wurde. So hieß der Bursche, der fette, der sich ruhig im Hintergrund hielt.“

„Oh, sehr gut, dass es Ihnen wieder eingefallen ist! Das wird uns bei der Fahndung nützlich sein. Vielen Dank, Fiddi! Nun verlasse ich Sie aber, damit Sie endlich Ihre Ruhe haben. Ich wünsche Ihnen schnelle Genesung. Auf Wiedersehen, Fiddi“, sagte Lina Eichhorn und verließ sachte, mit einem erleichterten Aufatmen, das Krankenzimmer.

21. Frustrationen

Der Arbeitstag setzte sich damit fort, dass sich die beiden Kriminalisten gemeinsam über sämtliche zusammengetragenen Fakten die Köpfe zerbrachen. Sie wollten unbedingt den Jugendlichen mit dem Namen Jonas – falls das denn überhaupt der richtige Name war - aufspüren, um dann über ihn den jungen Schläger dingfest zu machen, der Fiddi so übel zugerichtet hatte.

Parallel suchten sie natürlich mit Hochdruck nach dem seltsamen ‚Samurai', der die alte Jule auf dem Gewissen hatte. Die Pathologin hielt es für möglich, dass der Kopf mit einem solchen Schwert abgeschlagen wurde. Beweisen ließ sich das allerdings erst, wenn die Tatwaffe gefunden würde. Weder am Tatort, noch am Fundort des Kopfes, war eine Waffe zurückgelassen worden. Sollte es sich um ein echtes Samurai-Schwert (Katana) gehandelt haben, wäre es so wertvoll, dass der Täter es vielleicht noch immer im Besitz hatte. Das bedeutete für die Ermittler immerhin eine kleine Chance, ihn irgendwann zu überführen.

Sie einigten sich darauf, die Bevölkerung bei der Suche nach ‚Jonas' einzuschalten. Pantekook würde sich an die Regionalpresse wenden. Joe sollte hingegen im Internet nach Schwertern Ausschau halten. Vielleicht gab es außerdem Plattformen, auf denen sich Samurai-Freunde austauschten? Es würde noch viel mühevolle Ermittlungsarbeit kosten, da waren sich die Mitglieder der SoKo sicher.

Als Lina endlich zu Hause in der gemütlichen Eigentumswohnung des ehemaligen Dienststellenleiters Grothe auf dem Sofa saß, fühlte sie sich vollkommen ausgebrannt. Lähmende Erschöpfung ließ sie in die bequemen Polster zurück sinken. Durch gleichmäßige tiefe Atmung versuchte sie, ihre innere Welt wieder ins Gleichgewicht zu bringen.

War sie langsam zu alt für den Job?

Vor ihr stand eine dampfende Tasse Schokolade, die ihr aufgewühltes Gemüt vielleicht beruhigen könnte. Sie nahm einen vorsichtigen Schluck. Das herbsüße Aroma erfüllte ihren Mund sofort mit Wohlbehagen.

Leider gab ihr Mobiltelefon in diesem Moment einen nervigen Summton von sich. Sie warf einen widerwilligen überforderten Blick darauf. Es war ihre Tochter Carina, die sie in ihrem Feierabend störte.

„Hallo, Hörnchen, mein Schatz! Gibt's was besonderes?" Sie hoffte, dass es kein langwieriges Gespräch werden würde und dass alles in der Familie in Ordnung war. Katastrophen konnte sie an diesem Abend nicht mehr verkraften.

„Hallo, Mamsch! Ne, nichts besonderes. Ich hatte nur einen mega-anstrengenden Tag. Aber nun ist Oskar glücklicherweise im Bett. Sein Papa ist heute mit Vorlesen dran. Da wollte ich einfach mal deine Stimme hören."

„Du sollst doch nicht immer ‚Mamsch' sagen. Du weißt doch, dass ich das hasse", murmelte Lina genervt.

„Ist schon gut, Lina! Nun sei doch nicht so empfindlich! Hast du wieder so einen schwierigen Fall? Ich merke doch, dass du nicht gut drauf bist."

„Ach, über meine Arbeit willst du doch sowieso nichts wissen. Und ich darf auch nicht darüber reden. Wie geht's denn bei euch so?", lenkte die Mutter ab.

„Ich hab heute zum ersten Mal daran gezweifelt, dass ich den richtigen Beruf gewählt habe." Carina klang frustriert.

„Aber du liebst Tiere und wolltest doch immer Tierärztin werden. Außerdem läuft deine Praxis sehr gut. Wie kommt plötzlich dieser Sinneswandel zustande?“

„Ich bin heute von der hiesigen Polizei um Mithilfe gebeten worden. Die haben das Haus einer älteren Frau räumen müssen. Die hatte dort über dreißig Hunde gehalten. Du kannst dir diese Verwahrlosung nicht vorstellen! Da waren halb verhungerte, von eiternden Wunden überzogene, Hunde dabei. Drei musste ich gleich vor Ort einschläfern. Dazwischen wuselten Welpen herum mit entzündeten Augen. Die Tiere hatten sich wohl einfach wild vermehrt. Und die Halterin war finanziell und auch sonst mit der Situation völlig überfordert. Sie hat reichlich dem Alkohol zugesprochen. Überall lagen leere Flaschen herum. Alles war voll Hundekot. Ich weiß nicht, wo die überhaupt geschlafen hat. Ach – Lina, warum gibt es solch ein Elend?“ Die Tochter weinte ins Telefon.

„Oh, das tut mir leid, mein Liebling! Das ist wirklich ein schlimmer Tag für dich gewesen. Du musst dich bisschen ausruhen und ablenken. Wir können die Welt nun einmal nicht ändern. Was glaubst du, wie oft ich am Rande der Verzweiflung bin, wenn ich mit abscheulichen Verbrechen zu tun habe.“ Ihre Stimme klang warm und mitfühlend. Lieber hätte sie ihr Hörnchen jetzt in den Arm genommen, aber die Entfernung machte körperliche Nähe inzwischen zu einer Seltenheit zwischen Mutter und Tochter.

Das Schluchzen hörte auf.

„Ja, ich weiß, Lina. Es sind immer wir Menschen, die diese Dinge anrichten. Tiere sind ganz anders. Natürlich töten sie auch, um zu überleben. Aber ich glaube, wenn die Tiere sprechen könnten, würden sie uns anklagen. Dabei habe ich täglich mit so vielen wohlmeinenden Tierhaltern zu tun. Die denken tatsächlich, dass ihr Hund oder ihre Katze bei ihnen ein wunderbares Leben hätte. In Wirklichkeit sind das oft hoffnungslose Egoisten. Das Tier dient immer nur ihren Zwecken. Es ist der Schmusekater, der Mitmensch-Ersatz, der Hund, der für die tägliche Bewegung des Halters sorgen soll, das Kuscheltier für die Kinder, was sich nicht wehren kann. Die Haustiere, die in meine Praxis kommen, sind oft falsch ernährt, haben zu wenig Bewegung, werden in kleinen Wohnungen ganz gegen ihre Natur gehalten. Das was ich heute erleben musste, ist nur ein etwas krasserer Fall gewesen.“ Sie schluckte und schwieg.

„Sieh es doch nicht alles so negativ, Carina. Es gibt doch auch immer schöne Erlebnisse für dich als Tierärztin."

„Ja, da hast du Recht! Die Tiere sind einfach wundervoll, und ich helfe ihnen gern. Sie sind immer dankbar und zeigen ihre ehrliche Zuneigung. Aber wir Menschen versklaven sie regelrecht. Wir züchten Tiere, um sie zu schlachten, und wir züchten sie ebenso, um sie uns zu Willen zu machen. Wusstest du, dass über neunzig Prozent der Säugetiere auf unserem Planeten die Menschen und ihre Haustiere ausmachen? Wir nehmen den wilden Tieren den Raum zum Leben. Ist doch ganz verständlich, dass die Erde uns abschütteln will." Sie lachte böse.

„Carina-Schatz, du hattest einen schweren Tag. Jetzt siehst du alles besonders schwarz. Ich kann dir nachfühlen, wie das ist. Und sicherlich hast du nicht mit allem Unrecht, was du gesagt hast. Am besten, du stellst dich unter die Dusche und wäschst den Schmutz des Tages ab. Dann trinkst du einen schönen Kakao und kuschelst dich an deinen lieben Markus. Das wird helfen, abzuschalten", schlug Lina ihrer Tochter vor.

„Ja, ich werde es versuchen, Mamsch! Was mich am meisten nervt ist, dass ich ein Teil dieses perversen Systems bin – genau wie die Tierfutterindustrie und dergleichen. Wir verdienen letztendlich alle am Elend der Haustiere.“ Sie machte eine kleine Pause. „Ich konnte die vier Welpen und ihre Mutter glücklicherweise hier bei mir noch unterbringen. Und Oskar war deshalb total aus dem Häuschen. Hoffentlich kann ich dafür sorgen, dass sie einmal ein gutes Leben haben werden.“ Dann seufzte sie tief und vernehmlich. „Hab ich dich nicht zu sehr genervt? Ich wünsche dir einen schönen Abend. Bis bald mal, mit besserer Stimmung! Ich hab dich lieb.“

Lina verabschiedete sich herzlich und schaltete das Mobiltelefon aus. Ihr Bedarf an Kontakten war für diesen Abend gedeckt. Die Schokolade stand inzwischen kalt auf dem Tisch und hatte eine Haut gebildet. Sie erwärmte den Becher kurz in der Mikrowelle und rührte tüchtig um. Dann schaltete sie den Fernseher ein, um in einem erneuten Anlauf den belastenden Tag hinter sich zu lassen.

22. Befürchtungen

Als Lina am Donnerstagmorgen das Polizeirevier betrat, stieß sie gleich im Eingangsbereich auf eine Ansammlung von Schutzpolizisten, die sich sehr aufgeregt unterhielten. Sie blieb abwartend in der Tür stehen, während niemand sie beachtete.

„Epi und Ilona waren vor Ort. Die haben die Leichen gesehen. Es war auch ein Säugling dabei. Ihr könnt euch vorstellen, dass die sich für heute erst mal freigenommen haben." Der Sprecher klang dramatisch und alle Herumstehenden nickten betreten. Der Hauptkommissarin fuhr ein Schrecken in die Glieder. Gab es schon wieder neue Mordopfer in Emden? Zog sie etwa das Unheil an?

Jemand drehte sich zu ihr um. Sie entdeckte einen der jüngeren Polizisten, die sie bereits kennengelernt hatte, und fragte ihn danach, was vorgefallen war.

„Ach, Frau Eichhorn, da war heute Nacht ein schwerer Unfall auf der Autobahn. Ein Geisterfahrer hat eine ganze Familie und sich selbst plattgemacht. Insgesamt fünf Tote. Schrecklich!"

Der Polizist zog seinen Nebenmann zur Seite und kommandierte: „Nun macht mal Platz, und lasst Hauptkommissarin Eichhorn vorbei. Die hat mit dem Mordfall zu tun und bestimmt keine Zeit zu verlieren."

Dankbar schlüpfte Lina an den uniformierten Kollegen vorbei und eilte über den Flur in ihr Büro. Sie sank auf ihren Stuhl und starrte minutenlang aus dem Fenster. Draußen ragte standhaft der steinerne Wasserturm auf. Ihr gehetzter Blick eilte an jedem architektonischen Detail entlang. Seine unverrückbare würdevolle Schlichtheit begann sie nach einer Weile auf unerklärliche Weise zu beruhigen.

Glücklicherweise sind es Unfallopfer und keine weiteren Mordfälle, dachte sie immer wieder. Auch wenn das Fahren gegen die Fahrtrichtung zu fünf unnötigen Toten geführt hatte, es gab niemanden mehr, den man in dieser Situation zur Verantwortung ziehen konnte.

Sie legte ihre Jacke ab und startete den Computer. Noch immer etwas abwesend begann sie alle Fakten erneut zu sortieren. Es gab gewisse Querverbindungen zwischen den beiden Fällen, dennoch ging Lina weiterhin davon aus, dass es verschiedene Täter geben musste. Bei der schweren

Körperverletzung war keinerlei Waffe eingesetzt worden, und es handelte sich der Zeugenaussage nach wahrscheinlich um jugendliche Zufallstäter.

Bei dem verstümmelten Mordopfer, hatte jemand mit großer Kraft und Präzision ein Schwert eingesetzt. Danach hatte der Täter den Kopf als Trophäe mitgenommen und wie eine Botschaft markiert. Das musste nach ihrem Dafürhalten ein perfider eiskalter Killer sein, wodurch die Jugendlichen ausfielen. Aller Wahrscheinlichkeit nach, war der Mörder in seiner Persönlichkeit gestört und besaß ein übersteigertes Geltungsbedürfnis. Er sah sich möglicherweise als Samurai. Mit Jules Leben hatte er nach den bisherigen Ermittlungen keinerlei Verbindung. Vielleicht hatte er in der Einsamkeit des verfallenen Hauses auf die passende Gelegenheit gewartet, jemanden zu töten?

Dann muss er mit großer Wahrscheinlichkeit aus der Gegend stammen, schoss der Kriminalistin die plötzliche Erkenntnis durch den Kopf. Die armlange Waffe musste auch möglichst unauffällig transportiert worden oder gar am Tatort versteckt gewesen sein.

Sie wollte schnellstens mit Pantekook über die Hinzuziehung der Öffentlichkeit sprechen. Eine

Mithilfe der hiesigen Bevölkerung barg eine gewisse Chance, in dem Fall weiterzukommen. Sie wählte die Telefonnummer des Kollegen.

Andreas Pantekook hatte bereits grünes Licht von der Staatsanwaltschaft erhalten, dass sie die Presse genauer informieren und ein Hinweistelefon einrichten durften. Er rechnete damit, dass auch das regionale Fernsehen demnächst über den ungewöhnlichen Fall berichten würde. Lina war ihm dankbar, dass er sich sofort anbot, die Pressearbeit zu übernehmen.

Die Interviews würden sie nur von der Ermittlungsarbeit ablenken. Männer waren da meist soviel schmerzfreier. Sie regte sich immer hinterher auf, wenn sie sich selbst auf Fotos in der Presse und bei den selteneren Fernsehauftritten sah. Entweder hatte ihre Frisur nicht gesessen oder das Make up war verschmiert. Einmal hatte sie sich sogar vor Aufregung verhaspelt. Ihre Tochter hatte sie zwar ausgelacht, als die ihre überzogene Selbstkritik vernommen hatte, aber Lina konnte nun mal nicht aus ihrer Haut. Immer überkorrekt und genau, das hatte ihr Vater ihr schon hundertmal vorgeworfen.

Nun, bei der Ermittlungsarbeit kann Genauigkeit nicht schaden, dachte sie versöhnlich. Und machte sich erneut über die gesammelten Fakten her.

Es war ein weiterer Bericht der Spurensicherung eingegangen. Am Kopf des Opfers hatten sich einige Fasern gefunden. Sie stammten von einem grauen Wollgewebe aus Kaschmir. Wenn die Fasern nicht zu Lebzeiten an Jule haften geblieben waren, besaß der Täter vermutlich ein Kleidungsstück oder eine Decke aus Kaschmirwolle. Lina wusste, dass diese Wolle ziemlich teuer war. Was die Wahrscheinlichkeit einschränkte, dass Jule so etwas besessen hatte.

Sie nahm ein leeres Blatt Papier zur Hand und malte ein Strichmännchen in die Mitte. Es sollte den Täter symbolisieren. Dann verteilte sie alle Fakten stichwortartig um diesen herum. Es entstand ein Schaubild, das ihr nun immer auf einen Blick die bisherigen Erkenntnisse verdeutlichte. Es war jederzeit erweiterbar, denn Platz war noch genug vorhanden. Vorerst zufrieden lehnte sie sich in ihren Stuhl zurück.

Als ihr Mobiltelefon klingelte, vermutete sie, dass Pantekook seinen Vorschlägen für die Öffentlichkeitsarbeit noch etwas hinzufügen wollte, sie hatte jedoch das Altenheim ihres Vaters am Apparat.

Ich brauche jetzt wirklich keine weiteren Ablenkungen, dachte sie beunruhigt. Aber leider stand ihr zusätzlicher privater Stress ins Haus.

Big Boss war mit Verdacht auf einen Herzinfarkt ins Krankenhaus eingeliefert worden. Sie hatte ihn sofort in seiner zunehmenden Gebrechlichkeit bei ihrer letzten Begegnung vor Augen. Der Zustand ihres alten Vaters hatte sie überrascht, obwohl sie mit einer Verschlechterung hätte rechnen müssen. Die Kontaktbeschränkungen der Corona-Pandemie führten gerade bei den Älteren zu irreversiblen Problemen.

Ohne lange nachzudenken griff sie nach Jacke und Handtasche, setzte die Maske auf und stand in der Tür zu Andreas Büro.

„Es tut mir sehr leid, Andreas, aber ich brauche ein paar Stunden frei. Mein Vater liegt in Kreyenbrück mit Verdacht auf Herzinfarkt. Da hab ich einfach keine innere Ruhe, um mich auf die Ermittlungen zu konzentrieren. Ist das für Sie in Ordnung?“ Sie erwartete kein Nein, brachte aber trotzdem die Geduld auf, seine Antwort abzuwarten.

Er sprang vom Stuhl auf und schaute entsetzt. Dann nickte er und meinte mitfühlend: „Ja, das verstehe ich selbstverständlich. Wir kommen hier solange ohne Sie klar, Lina. Ihr Vater geht jetzt vor. Passen Sie auf, dass Sie umsichtig fahren in ihrer Aufregung! Ich drücke Ihnen und natürlich Ihrem Vater die Daumen. Rufen Sie bitte kurz durch, falls Sie bis morgen nicht zurück sein können."

Lina konnte sich im Nachhinein nicht mehr an ihre Fahrt nach Oldenburg erinnern. Sie hatte die Entfernung bis zur Klinik automatisch zurückgelegt, ohne wirklich geistig anwesend zu sein. Als versierte Autofahrerin war ihr das glücklicherweise ohne Fehler gelungen. Dennoch beunruhigte sie dieser Gedanke im Rückblick, während sie über die sterilen Gänge mit dem typischen beißenden Geruch nach Desinfektionsmitteln eilte.

Beinahe stieß sie mit einer ebenso eiligen Krankenpflegerin, die sehr genervt oder müde aussah, zusammen und murmelte eine Entschuldigung. Dann hatte sie endlich die gesuchte Station erreicht. Im Zimmer ihres Vaters lag ein laut schnarchender Mann mit einem kahlrasierten Schädel. Das andere Bett war unbenutzt. Die Kulturtasche ihres alten Herrn stand jedoch auf dem Nachttisch direkt am Fenster. Eine leichte Gardine bauschte sich im Durchzug, den die geöffnete Tür bewirkte.

Für einen Moment hielt die Hauptkommissarin ratlos inne, krampfhaft versucht Atem zu schöpfen. Bedrohliche Gedanken schwirrten in ihrem Kopf wie ein aufgescheuchter Mückenschwarm. Hoffentlich hatte das leere Bett keine unheilvolle Bedeutung?

Da sie in diesem Krankenzimmer keine Antworten auf ihre drängenden Fragen finden würde, wandte sie sich schließlich dem Schwesternzimmer zu, das sie vom Flur aus gesehen hatte. Eine junge Frau mit Lippen-Piercing und orangerotem Haar, saß über eine Liste gebeugt hinter einer Glasscheibe und beachtete sie vorerst nicht, obwohl Lina freundlich an der geöffneten Tür gegrüßt hatte. Nach einer Weile blickte die Weißgekleidete dann jedoch mürrisch in ihre Richtung und murmelte etwas Unverständliches.

Lina stellte sich kurz vor und fragte nach ihrem Vater. Sie hatte keine Zeit zu verlieren, was ja offensichtlich wenigstens eine verbindende Gemeinsamkeit zwischen ihr und der Krankenschwester darstellte. Diese wurde nun auch etwas zugänglicher, legte die Liste aus der Hand und erhob sich von ihrem Stuhl. Sie überragte Lina um Haupteslänge und brachte bestimmt das doppelte an Gewicht auf die Waage. Mit energischen Bewegungen drängte sie Frau Eichhorn zur Seite und wälzte sich durch die Tür.

„Folgen Sie mir! Ich bringe sie rasch rüber zur Intensivstation. Ihr Vater wird dort noch eine kleine Weile betreut. Wir müssen sicher gehen, dass sein Anfall eher harmlos war.“ Mit einer Geschwindigkeit, die niemand dieser Walküre zugetraut hätte, eilte sie vorweg.

Endlich wurde Lina zu ihrem Vater gelassen und konnte sogar mit einem jungen Arzt sprechen, für den Deutsch allerdings eine Fremdsprache war, die er leider noch nicht sehr gut beherrschte. Das führte zu einigen Nachfragen und kostete deshalb mehr Zeit, als ihr lieb war. Letztendlich war sie aber über seinen Gesundheitszustand einigermaßen beruhigt worden. Ihr alter Herr sollte zwar noch ein paar Stunden auf der Intensivstation zubringen, war aber inzwischen ansprechbar und wirkte auch nicht verwirrter als gewöhnlich.

Geduldig hielt sie sich noch eine halbe Stunde an seinem Bett auf und hörte sich seine Beschwerden über das desolate Gesundheitssystem an. Dann verabschiedete sie sich von ihm, mit dem Versprechen, sich telefonisch zu melden und gegebenenfalls wieder zu kommen, falls es notwendig sein sollte.

Er hätte zwar zu gerne noch etwas über den Stand der Ermittlungen erfahren, aber dazu konnte sich seine Tochter diesmal nicht durchringen. Sie wollte nur noch so schnell wie möglich diese Virenschutzmaske loswerden und nach Emden zurückfahren, um ihre Arbeit wieder aufzunehmen.

23. Öffentlichkeit

Freitagmorgen lagen die örtlichen Tageszeitungen bereits auf ihrem Schreibtisch, als sie nach einer unruhigen Nacht das Büro betrat.

Pantekook stand kurze Zeit danach mit dampfendem Kaffee und zwei Croissants in ihrer Tür. Sein Gesicht war von der obligatorischen Maske bedeckt, weshalb sie sein freundschaftliches, um Anerkennung bettelndes Grinsen nur erahnen konnte.

„Moin, Andreas! Danke für die Zeitungen und natürlich das Frühstück. Sie verwöhnen mich wirklich zu sehr“, grüßte Lina entspannt. Sie würde dem Kollegen die betuliche Fürsorge nicht abgewöhnen können, warum diese kurze Zeit dann nicht einfach genießen?

„Ich bin auch sofort wieder verschwunden. Wie geht es Ihrem Vater? Ist er über den Berg?“ Andreas Pantekook stellte das kleine Frühstück vorsichtig auf Linas Schreibtisch ab und zog sich dann zur Tür zurück.

Abstand halten. Abstand halten!

„Es war nicht so schlimm, wie es im ersten Moment erschien. Er wird sich hoffentlich in einigen Tagen erholt haben und wieder ganz der alte Brummbär sein.“ Lina lächelte ihren Kollegen vielsagend an und biss dann mit Appetit in eines der lockeren Gebäckstücke.

Der buttrige Geschmack des Croissants erfüllte ihren Mund mit Wohlbehagen. Sie nahm schnell einen großen Schluck von dem starken Kaffee und wandte sich dann nochmals an ihren hilfsbereiten Kollegen: „Sind die Berichte in den Regionalblättern zu Ihrer Zufriedenheit ausgefallen? Hoffentlich helfen sie uns irgendwie weiter und richten nicht nur Chaos im Sommerloch an?“

Pantekook wandte sich in der Tür noch einmal um.

„Ich bin ganz zufrieden. Die Presseleute kenne ich ja hier alle persönlich. Sie haben mich auch diesmal nicht enttäuscht. Aber lesen Sie die Artikel am besten selbst durch, danach können wir uns nochmals kurzschließen. Nun lassen Sie sich das Frühstück schmecken! Tschüss, bis später!“

Lina las die Zeitungsartikel, während sie das Frühstück bis zum letzten Krümel verputzte. Es wurde zu beiden Straftaten um die Mithilfe der Bevölkerung gebeten. Vielleicht würde das ein

Nachteil sein? Ob sich die Vielzahl der zu erwartenden Anrufe von wohlmeinenden Bürgern dann noch mühelos auseinanderhalten und bewältigen ließe? Aber das sollte fürs erste nicht ihre Hauptsorge sein. Es müssten eben einige Kollegen am Wochenende Telefondienst schieben.

Gedanken machte sie sich über den Mittäter im Fall der schweren Körperverletzung. Ohne den Namen zu nennen, wäre der Bericht sinnlos gewesen. Jonas wurde auch lediglich als Zeuge gesucht. Er war bisher nicht weiter belastet worden. Dennoch es handelte sich nach Fiddis Aussage höchstwahrscheinlich um einen Jugendlichen, auf den jetzt möglicherweise eine Hetzjagd veranstaltet wurde. War das noch verhältnismäßig? Außerdem konnten viele Unschuldige mit dem beliebten Namen in Misskredit gebracht werden.

Die Hauptkommissarin sah den weiteren Ermittlungen mit starkem Unbehagen entgegen. Immer, wenn Kinder oder Jugendliche in Straftaten verwickelt waren, wurde es besonders kompliziert. Der gesetzlich verankerte Schutzraum verhinderte oder erschwerte so manche Nachforschung. Aber sie wusste auch, dass Minderjährige schon seit längerer Zeit nicht mehr nur als bevorzugte Opfer, sondern zunehmend auch als Täter in polizeilichen Untersuchungen auftauchten.

Mit einem tiefen Seufzer faltete sie die Tageszeitungen wieder exakt zusammen und legte sie ordentlich übereinander an eine Ecke ihres Schreibtisches. Es würde ein weiterer Tag mit fruchtlosen Überlegungen und dem Wälzen der bisherigen Fakten werden. Vielleicht sollte sie sich nochmals an die Tatorte und Fundorte der Leichenteile begeben?

Sie rief Andreas an und tauschte sich mit ihm über ihre Bedenken hinsichtlich der Zeitungsberichte aus. Er sah die Angelegenheit wesentlich lockerer und glaubte nicht daran, dass nun allen Jugendlichen, die zufällig Jonas hießen, Ärger ins Haus stand.

„Der Zweck heiligt die Mittel“, meinte er platt. „Hoffen wir nur, dass überhaupt was dabei herauskommt.“ Er hatte keine Einwände, dass Frau Eichhorn nochmals die Orte des brutalen Geschehens aufzusuchen gedachte und bot sich an, ihr einen Streifenwagen als Transportmittel zu besorgen.

Aber die Kriminalistin bevorzugte es, diesmal ganz ohne Begleitung in die Gegend am Stadtrand von Emden einzutauchen. Intuition benötigt vor allem viel Ruhe, dachte sie, während sie sich energiegeladen auf den Weg zu ihrem Wagen machte.

Wolkenbruchartige Regengüsse gingen nieder und tauchten das flache Land entlang der Landstraße in einen gräulichen Schleier, kaum dass sie den Stadtkern verlassen hatte. Die Farben des Spätsommers hatten keinerlei Chance sich dagegen durchzusetzen. Lina fröstelte in ihrer dünnen Bluse hinter dem Steuer. Die Scheibenwischer schafften es nicht, sich gegen die brutal herabstürzenden Wassermassen durchzusetzen. Sie hatte weder einen Schirm noch eine Regenjacke in ihrem Wagen, also blieb ihr nichts anderes übrig, als zunächst am Tatort der schweren Körperverletzung auf dem großen leeren Parkplatz in ihrem Auto auszuharren.

Der stürmische Wind trieb erste gefallene Blätter und irgendwelchen Unrat vor sich her. Plötzlich wirbelte es um ihre Autoscheiben, als sollte alles Bewegliche - einschließlich ihres Wagens – hinauf in den bleiernen Himmel gepustet werden.

Unwillkürlich krallte Lina beide Hände um das Lenkrad. Doch bevor ihr die lächerliche Situation bewusst wurde, stieben die Wolken auseinander und gaben die Sonne frei. Die Welt war sofort verändert, weil wieder von satten Farben erfüllt. Auf dem Parkplatz hatten sich riesige Pfützen gebildet, die das grelle Licht schmerzhaft reflektierten. Die Hauptkommissarin schüttelte sich kurz und verließ den Wagen, um sich zunächst die Stelle anzusehen, an der Fiddi heimtückisch zusammengeschlagen worden war.

Der Ort wirkte verlassen und ausgefegt. Der Sturm hatte alle noch so kleinen Schnipsel weggetragen und vermutlich irgendwo an anderer Stelle angehäuft. Sie schloss für einen Moment die Augen, um sich in die nächtliche Situation einzufühlen. Nur verstörende Kälte stieg in ihr auf. Da ging sie schnurstracks zum Wagen zurück und fuhr schleunigst weiter.

Sie hielt gerade an der Bushaltestelle, die der Fundort von Jules abgeschlagenem Kopf gewesen war, als ihr Handy vibrierte. Hoffentlich war nicht wieder etwas mit ihrem Vater passiert. Schnell sah sie nach der angezeigten Nummer. Es war Joe Kokker. Ihre Hände begannen ganz leicht zu zittern. Gleichzeitig beschleunigte sich ihr Herzschlag.

„Ja, hallo Joe, was gibt's?“ Sie gab ihrer Stimme einen möglichst geschäftsmäßigen Anstrich.

„Moin, Lina! Ich hab bei den Recherchen im Internet einige interessante Hinweise bezüglich der Samurai-Waffen gefunden. Es gibt sogar eine Community, die sich regelmäßig über das Leben der Samurai austauscht. Hast du Interesse und Zeit vorbeizukommen?“ Im Hintergrund waren die typischen Geräusche seiner Computer zu hören. Eine Tastatur klapperte emsig.

„Das klingt vielversprechend. Ich befinde mich aber gerade an den Tatorten. Es wird mir vielleicht am Nachmittag möglich sein, dich zu treffen. Wäre das okay?“ Linas Zittern war stärker geworden. Sie kämpfte dagegen an und war deshalb zunehmend genervt. Dass ihre Gefühle die Oberhand gewannen, war ihr unangenehm fremd. Sie wertete es als Schwäche und bemühte sich sichtlich um Kontrolle. Joe machte es ihr diesmal leicht. Er schien gerade wenig Zeit zu haben. Nach einer kurzen Bestätigung des vorgeschlagenen Treffens, brach er das Gespräch hastig ab.

Lina stand noch eine Weile mit dem stummen Mobiltelefon in ihrer Hand da und schwamm in widersprüchlichen Gefühlen. Jetzt gerade war es ihr auch nicht recht, dass Joe so kurz angebunden gewesen war. Hatte sie irgendwas falsch gemacht?

Sie steckte das Telefon weg, um sich wieder ganz dem Leichenfundort zu widmen. Die Bushaltestelle wirkte noch immer schmuddelig. Ein Rest des rotweißen Absperrbandes der Polizei flatterte an der Seite im Wind. Eine Weile hockte sie sich auf einen der unbequemen Sitze aus Drahtgeflecht.

Ob die alte Frau, die den Rucksack mit dem abgeschlagenen Kopf gefunden hatte, wohl an Albträumen litt? Gut, dass zu der frühen Stunde wenigstens keine Kinder dadurch traumatisiert worden waren. Der Bus in Richtung der Schulen fuhr glücklicherweise auf der gegenüberliegenden Straßenseite.

Sie warf noch einen langen Blick auf die Warft mit dem seltsamen großen Haus, das es ihr irgendwie angetan hatte. Es schien ihr aufmunternd zuzulächeln. Sie bekam plötzlich gute Laune. Unwillkürlich spiegelte sich das Lächeln auf ihrem Gesicht. Beschwingt stieg sie wieder in ihren Wagen.

Zuletzt hielt sie in der Nähe des abgebrannten Hauses an, wo man die verkohlten Überreste von Jule gefunden hatte. Der Regenguss hatte alles in eine Schlammwüste verwandelt. Sie vermied es, über die matschige Wiese zu den niedergebrannten Resten des Tatortes zu stapfen. Ihre Sneakers würde sie danach nie wieder sauber bekommen. Stattdessen spazierte sie ein wenig in der Gegend umher.

Der Himmel war mit Wolken gespickt. Hoffentlich würde kein zweiter Unwetterausbruch bevorstehen? Hier wirkte alles so harmlos und normal, dass sie große Schwierigkeiten hatte, sich das brutale Verbrechen zu vergegenwärtigen. Ihr war natürlich bewusst, dass man einer Umgebung oft nicht ansah, ob in ihr das Böse lebte. Irgendwie war die dunkle Seite der menschlichen Existenz doch überall vertreten – mal stärker und mal schwächer.

War es schwieriger in einem Umfeld, das fast keine Anonymität zuließ, Verbrechen zu begehen? Oder konnte sich der Täter sogar in einer vermeintlichen Vertrautheit und Nähe der harmlosen Nachbarschaft umso besser tarnen? Verbarg sich hier hinter einem freundlichen Mann, der sich immer hilfsbereit zeigte, vielleicht im Stillen ein blutrünstiges Monster?

Ein älterer Herr mit einer Schiffermütze auf dem grauen Haar und einem Dackel an der Leine, kreuzte ihren Weg. Er grüßte freundlich und beäugte sie neugierig bis erstaunt. Sie war ihm nicht bekannt. Lina Eichhorn grüßte freundlich zurück. Dann bummelte sie noch ein Stück durch die angrenzende Siedlung. Es war hier still und friedlich. Niemand werkelte im Garten. Dazu war es zu nass. Hier und da bellte ein Hund. Scharen von kleinen Vögeln flogen aus den Hecken, wenn sie daran vorbei ging. Die Häuser waren gepflegt und nicht zu pompös. Keiner wollte offenbar hervorstechen, um die Nachbar zu übertrumpfen. Aber nett wollten es wohl alle haben. Nett und sauber. Man war anständig und fleißig.

Lina schüttelte den Kopf. Ach, was für Gedanken kommen mir da? Sind das Vorurteile? Oder ist es auch ein gewisser Neid auf diese ländliche Idylle?

Ich habe keinerlei neue Erkenntnisse durch die Begehung der Orte gewonnen, dachte sie frustriert. Aber immerhin hatte sie sich ein wenig bewegt und viel frische gesunde Luft geatmet. Einigermaßen versöhnt, mit freiem Kopf schlenderte sie zu ihrem Wagen, um wieder zum Revier zurück zu fahren.

24. Perfide Pläne

Hacke und Jonas lungerten mit ihren Rädern auf dem Gelände der bekannten Tanzschule in der Stadt herum. Freitagsnachmittags trainierten hier die größeren Mädchen. Jonas hatte herausgefunden, dass auch Melissa dazu gehörte.

Rings um die beiden Halbwüchsigen lagen etliche Zigarettenkippen, die davon erzählten, wie sie die Wartezeit totgeschlagen hatten.

„Eigentlich müssten die Schlampen doch längst umgezogen und wieder draußen sein. Oder hast du dich etwa in der Zeit geirrt, Jonas?" Hacke schaute seinen schwammigen Freund forschend an, nachdem er einen weiteren Blick auf seine Armbanduhr geworfen hatte. Langsam wurde er ungeduldig und dadurch, wie immer in solchen Fällen, höchst ungehalten.

Jonas beschwichtigte ihn: „Ne, die brauchen bestimmt so lange zum Umziehen und Schminken – Weiber eben ..."

„Meinetwegen könnten sie nackt heraus tanzen", murmelte Hacke und grinste Jonas mit seiner Zigarette im Mundwinkel vielsagend an.

In diesem Moment öffnete sich die Tür der Tanzschule, um die Mädchen laut lachend und schwatzend auf den Parkplatz zu entlassen. Einige wartende Mütter starteten nun sofort ihre Wagen. Die Töchter sprangen hinein, winkten ihren Freundinnen zum Abschied zu und verschwanden zügig im Feierabendverkehr. Andere schlenderten unter heftigem Gestikulieren gemeinsam zu Fuß nach Hause. Alle hatten ihre Handys gezückt und beachteten die beiden Jungen nicht, die sie neugierig musterten.

Hacke schnipste seine Kippe weg. „Wo bleibt denn nun diese kleine Bitch Melissa?“, wandte er sich an Jonas.

„Die hat heute Morgen noch zu Mira gesagt, dass sie zum Tanzen geht. Hab ich genau gehört.“ Jonas ließ seinen Blick über den Platz schweifen. Bei den Fahrradständern sah er sie. Sie redete mit einer großen Blonden, die er nicht kannte. Von ihr wurde sie im Augenblick fast verdeckt.

Der schwerfällige Junge wies mit ausgestrecktem Arm in die Richtung. „Dort, Hacke, dort bei den Rädern!“

Schnell zog Hacke den Arm des Freundes zurück und tadelte ihn wie ein strenger Lehrer: „Nun lass den Unsinn! Kannst du dich nicht etwas unauffälliger benehmen? Es soll doch alles nach Zufall aussehen, sonst können wir es gleich vergessen."

Jonas trottete nun mit gesenktem Kopf hinter Hacke her, der sein Rad zur Hausecke schob, um das Zusammentreffen mit Melissa vorzubereiten. Er spürte ein Kribbeln im Magen. Das Gefühl entstand aus freudiger Erwartung und Lampenfieber. Seine Schulkameradin hatte ihn bisher nie richtig beachtet, außer wenn er den Klassenclown gab und sich alle über ihn lustig machten. Ob Hackes Plan überhaupt funktionierte?

„Achtung, Jonas, dort kommt sie! Du weißt, was du zu tun hast?" Jonas nickte unterwürfig und gehorsam.

Als Melissa mit ihrem Rad um die Hausecke biegen wollte, verstellte ihr Jonas den Weg, grinste sie blöde an und brabbelte wie ein schlechter Schauspieler, der vom Blatt abliest: „Hi, Melissa! Ach welch ein Zufall, dass wir dich hier treffen."

Hacke verdrehte die Augen, stellte sich aber ohne zu zögern neben seinen fetten Freund, um sich mit einem strahlenden Lächeln an die verstörte Melissa zu wenden, die inzwischen unfreiwillig vom Rad abgestiegen war: „Oh, die Sonne geht auf! Wo hatte sich den dieses entzückende Wesen versteckt? Und warum stellst du mich der jungen Dame denn nicht endlich vor, Jonas? Nun sei doch nicht so unhöflich!“

Jonas glotzte für einen Moment blöde, während er nachdachte, was zu tun war. „Ach ja, das ist also die Melissa. Und der da ist mein Freund Hacke. Den kennst du nicht. Der geht nämlich aufs Gymi. Ist aber ganz okay. Das kannste mir ruhig glauben.“ Nach dieser Glanzleistung wischte er sich mit dem Handrücken den Schweiß von der Stirn.

Das verunsicherte Mädchen blickte schweigend von einem zum anderen. Dann versuchte sie ihr Fahrrad an den beiden vorbeizuschieben, um wortlos davon zu radeln.

Mit selbstsicherem Griff hielt der Gymnasiast ihren Lenker fest. „Du wirst mir doch jetzt nicht gleich davon fahren, meine Hübsche? Melissa – das ist aber mal ein interessanter Name. Der passt hervorragend zu einer so außergewöhnlichen jungen Lady.“ Er sah ihr schmachtend in die blauen Augen, um nach einer kleinen Kunstpause genauso schmeichlerisch fortzufahren: „Ich könnte es nicht ertragen, ohne deine Handy-Nummer nach Hause zu fahren. Gib mir bitte eine Chance! Oder willst du für meine schlaflosen Nächte verantwortlich sein?“

Noch immer schwieg Melissa. Ihre Augen flatterten jedoch hektisch. Sie war inzwischen rot angelaufen und strich sich nervös eine Haarsträhne hinters Ohr. Was sollte sie von dieser Vorstellung halten?

Als Hacke ihr seinen nackten linken Unterarm auffordernd entgegenstreckte, in der Hand einen permanenten Filzschreiber, klimperte sie mit den getuschten Wimpern und lispelte kaum hörbar: „Ich weiß nicht …“

„Ach, mach schon, Melissa, stell dich nicht so blöd an!“, mischte Jonas sich ungeduldig ein.

Sein Freund warf ihm einen vernichtenden Blick zu und wandte sich dann wieder dem Mädchen zu: „Lass dich nicht drängen, Melissa. Ich möchte, dass du mir deine Telefonnummer freiwillig gibst. Große Gefühle dulden keinen Zwang.“

Das Mädchen schaute ihn so verwirrt an, als sei gerade ein Alien mit einem Raumschiff auf dem Parkplatz gelandet, nahm dann aber brav den Stift, um ihre Nummer auf seinen Unterarm zu kritzeln. Er hielt still, obwohl es kitzelte und das Adrenalin durch seinen Körper schoss. Ihm wurde ganz heiß. Ein geiler Film spulte in seinem Kopf ab, in dem die naive Melissa mit den üppigen Kurven die Hauptrolle spielte. Auf diesen inneren Bildern war sie vollkommen nackt - seine hilflose Sklavin.

Da er nun seinen Willen hatte, nahm er sofort die rechte Hand von ihrem Lenker, verneigte sich wortlos wie ein Galan alter Schule, einen Arm auf dem Rücken, und schaute seinem potentiellen Opfer selbstzufrieden hinterher. Melissa entfernte sich mit zunehmender Geschwindigkeit aus seinem Blickfeld, als ob sie bereits ahnte, dass ihr ab jetzt der Leibhaftige auf den Fersen war.

„Komm, nun spendiere ich uns jedem ein Eis. Das haben wir uns verdient. Die kleine Bitch machen wir an diesem Wochenende klar. Das wird ein Fest der besonderen Art“, wandte er sich vergnügt an Jonas und schwang sich elegant auf sein teures Rennrad.

Jonas war zufrieden, dass er es nicht verpatzt hatte und folgte ihm so schnell er konnte durch die belebten Straßen bis zu ihrer Lieblingseisdiele.

Er versuchte beim Eis alle dunklen Gedanken an Hacke und Melissa zu verdrängen. Schließlich war die blöde Kuh selbst Schuld, wenn sie mit ihrer Handy-Nummer so sorglos umging. Er spürte intuitiv, dass das Mädchen seinem überlegenen Freund, der sich verwandeln konnte wie ein Chamäleon, nun rettungslos ausgeliefert war.

Ob sie gar nicht mehr wusste, dass Hacke ihr im Kino an die Titten gepackt hatte? Vielleicht hatte sie ihn damals nicht richtig gesehen, weil er hinter ihr gesessen hatte. Oder hatte es ihr wirklich gefallen? Er verstand Mädchen nicht. Sie waren kompliziert. Aber sie rochen gut, das musste man ihnen lassen.

Das Stracciatella-Eis tropfte auf sein T-Shirt. Er verwischte den Fleck mit der Hand, wodurch der sich aber vergrößerte.

„Was machst du Schwein denn schon wieder? Mit dir kann man wirklich nirgendwo hingehen, Jonas“, maulte Hacke.

Im selben Moment schleuderte er sein halbvolles Eishörnchen auf die Straße zwischen die vorbeirasenden Autos.

Jonas quetschte den Rest von seinem Eis so schnell wie möglich in den Mund. Seine Lippen waren vollkommen beschmiert. Er bekam kaum noch Luft und schluckte verzweifelt, während er auf sein Rad stieg und Hacke gehorsam nach Hause folgte.

25. Telefonaktion

Lina Eichhorn hatte unruhig geschlafen und fühlte sich am Samstagmorgen wie zerschlagen. Der gestrige Nachmittag mit Joe war für sie emotional sehr anstrengend gewesen. Außerdem hatte der Kollege eingehend über seine komplizierten Internet-Recherchen berichtet, was ihr eine gehörige Portion intellektueller Aufmerksamkeit abforderte.

Sie wusste nun viel über die Aktivitäten von seltsamen Samurai-Jüngern, Typen, die mit besonderen Hieb- und Stichwaffen Handel trieben und Freaks, die sich für die Konservierung von Schrumpfköpfen interessierten. Außerdem gab es natürlich auch im Darknet gewisse Foren, die extreme Straftaten unterstützten, vorbereiteten oder in Bild und Ton zur Schau stellten.

Reale Namen hatten sie dadurch selbstverständlich nicht erfahren. Aber Joe hatte ihnen einen gewissen Überblick über die Szene verschafft. Die Ermordung der obdachlosen Jule war offenbar nicht gefilmt und verbreitet worden. Jedenfalls hatte Kokker nichts gefunden, was darauf hindeutete.

Es gab allerdings mehrere Handy-Filme im Netz, die Gewalt gegen Obdachlose zeigten. Manchmal waren offenbar auch Jugendliche an den Taten beteiligt.

Die Verrohung der Gesellschaft schritt ständig voran. Lina hatte sich nicht zum ersten Mal gefragt, wie lange ihre Psyche diesen täglichen Umgang mit der Gewalt noch unbeschadet aushalten würde.

Abends war sie mit Joe bei ihrem Lieblingsitaliener zum Essen gelandet. Leider hatte sie sich aber in seiner Gegenwart nicht wirklich entspannen können und deshalb das Lokal unter einem Vorwand verlassen, noch bevor er seinen Wein ausgetrunken hatte.

Während sie unter der Dusche stand, fühlte sie sich deshalb irgendwie mies. Warum lösten diese Gefühle soviel Angst in ihr aus? Irgendwann musste sie doch wieder unverkrampft auf einen Mann zugehen können?

War sie durch den lange zurückliegenden Selbstmord ihres früheren Lebensgefährten dauerhaft traumatisiert? Eigentlich hatte sie sein Freitod nicht so sehr verstört, wie die Tatsache, dass er über seine schwere Krebserkrankung ihr gegenüber absolutes Stillschweigen bewahrt hatte. Ein schmerzhafter Vertrauensbruch!

Vielleicht benötigte sie eine Psychotherapie? Bisher hatte sie es immer mit Ablenkung durch die Arbeit versucht. Es war nicht schwer für sie, andere auf Abstand zu halten, wenn sie rund um die Uhr mit der Aufklärung von Verbrechen beschäftigt war.

Während sie sich mit dem angenehm duftenden Badetuch abrubbelte, zog sie reumütig in Erwägung, nach diesem Einsatz ein paar Wochen Urlaub zu nehmen. Möglicherweise könnte sie gemeinsam mit ihrem Vater nach München zu ihrer Tochter und dem Enkelkind fahren. Wer wusste, ob das mit dem alten Herrn, der ständig hinfälliger wurde, später noch möglich war?

Sie schminkte sich dezent und zog sich etwas wärmer an als am Vortag. Der Sommer schien leider verfrüht in den Herbst übergegangen zu sein. Sie schloss alle Fenster, da es in der Wohnung unangenehm zog. Dann machte sie sich auf den Weg zum Revier.

Auf Kaffee und frische Croissants im Büro konnte sie sich getrost verlassen, weshalb sie ihr gewohntes Frühstück ausfallen ließ.

Andreas Pantekook überfiel sie sofort mit einem Stapel Papier. Die Kollegen hatten fleißig Telefondienst gemacht. Ob die zahlreichen Hinweise aus der Bevölkerung sie bei der Aufklärung der beiden schweren Straftaten weiterbringen würden, mussten sie nun selbst herausfinden.

Lina hielt in der Linken ein angebissenes Croissant und blätterte mit der Rechten in dem für sie bestimmten Blätterwust. Die hilfreichen Kollegen hatten alles handschriftlich notiert, was sie für einigermaßen vernünftig hielten. Sämtliche Anrufe waren außerdem abgespeichert worden, um sie gegebenenfalls genauer zu analysieren.

Mindestens zwanzig hilfreiche Mitbürger gaben Hinweise auf Jugendliche mit dem Namen Jonas. Da würde einiges an Befragungen auf sie zukommen. Musste der Junge denn ausgerechnet einen so häufigen Namen haben? Warum hieß er nicht Konrad oder Egon?

Die Hauptkommissarin lächelte, während sie Blatt für Blatt überflog, um eine grobe Sortierung vorzunehmen. Andreas tat in seinem Büro gerade das gleiche. Danach wollten sie sich nochmals über ihre vorläufigen Ergebnisse austauschen.

Der Vormittag zog sich zäh dahin. Die Schrift der Kollegen war zunehmend schlechter entzifferbar.

Wahrscheinlich waren sie nach und nach ermüdet und hatten deshalb unleserlich zu kritzeln begonnen. Lina sah es ihnen nach, bekam aber Kopfschmerzen vom angestrengten Lesen.

Noch bevor sie alles gesichtet hatte, stand Andreas mit Maske und seinem Papierstapel vor ihrem Schreibtisch. Sie setzte ebenfalls den vorgeschriebenen Virenschutz auf und bot ihm einen Stuhl an.

„Ich habe genau fünfundzwanzig Hinweise auf Jungen mit Namen Jonas. Vielleicht können wir davon einige aussortieren, weil sie noch Grundschüler sind. Aber es bleiben trotzdem genug übrig, um die gesamte nächste Woche mit Befragungen zu füllen.“ Der Kollege wirkte auf sie etwas entmutigt.

„Bei mir sieht es ähnlich aus, Andreas. Ist eben ein häufiger Name, den unser junger Zeuge oder Mittäter trägt. Vielleicht können uns einige Kollegen von der Schutzpolizei unterstützen, dann sollte es möglich sein, den richtigen Jonas herauszufiltern.“ Lina legte das letzte Blatt aus der Hand auf den dicksten Stapel. Dann ergriff sie drei Blätter, die daneben lagen und hielt sie hoch.

„Dies sind die einzig interessanten Hinweise in unserem Mordfall. Eine Frau hat am besagten Abend einen schwarzgekleideten Mann mit einem kleinen Hund an der Leine in der Nähe des Tatortes bemerkt. Er war ihr aufgefallen, weil er den Hund so brutal hinter sich her gezogen hatte und eine große längliche Tasche über der Schulter trug. Außerdem war ihr kein Hundebesitzer mit dieser schlanken Statur in ihrer Nachbarschaft bekannt."

Andreas nahm den Zettel in die Hand und überflog ihn. Während Lina fortfuhr: „Ein Radfahrer will zu später Stunde in der Mordnacht einen Schrei aus der Richtung der Hausruine gehört haben. Er war aber in Eile und hatte sich deshalb nicht weiter darum gekümmert." Sie reichte ihrem Kollegen auch dieses Blatt.

„Dann haben wir noch einen mysteriösen Hinweis, der allerdings nicht die Mordnacht betrifft. Eine junge Frau aus Hilmarsum hatte vor einigen Wochen ihren kurz ausgebüxten Hund in dem abbruchreifen Haus wiederentdeckt. Er schnüffelte dort aufgeregt herum. Sie meinte Blutspuren, die von einem geschlachteten Huhn stammen konnten, gesehen zu haben. Außerdem war ein Pentagramm auf den Boden gezeichnet und überall waren um eine ausgebrannte Feuerstelle

Hühnerfedern verstreut gewesen. Sie hatte sich ziemlich gegruselt und den Ort mit ihrem Hund schnellstens verlassen."

Pantekook nickte. „Das hört sich nicht schlecht an. Wir könnten uns diese Anrufe nochmals abspielen und die Hinweisgeber später persönlich befragen."

Dann reichte er ihr ebenfalls eines seiner Blätter. „Ich habe nur einen einzigen Hinweis, der für unseren Mordfall relevant erscheint, entdeckt. Ein älterer Herr, der Herzprobleme hatte und deshalb in der Küche bei einem Telefonat mit seinem Sohn stand, will zwei dunkle Schatten durch sein Fenster gesehen haben, die sich eilig vom alten Haus entfernten, das bereits in Flammen stand. Er war kurz danach ins Krankenhaus gefahren worden und musste dort einige Zeit zubringen, weshalb er sich nicht früher melden konnte."

„Na, wenn dieser Mann glaubwürdig ist, haben wir es möglicherweise mit zwei Tätern zu tun oder wenigstens mit zwei weiteren Zeugen."

Andreas schlug vor: „Dann widmen wir uns am besten erst mal den Zeugenhinweisen zu unserem Mordfall. Die jungen Leute mit dem Namen Jonas werden uns schon nicht weglaufen bis

Montag. Ich werde aber vorher noch nach den Anrufen von heute Morgen fragen. Denn das geht ja laufend weiter mit den Hinweisen. Vielleicht haben wir Glück und kommen tatsächlich an diesem Wochenende zum Durchbruch."

Die gut gemeinten Hinweise aus der Bevölkerung wurden im Laufe des Samstags allmählich schleppender. Vielleicht lag das am strahlenden Sonnenschein, der Emden überraschend in eine bunte Verheißung von Altweibersommer tauchte. Die Bürger strömten ins Freie, flanierten entlang der zahlreichen Gewässer und durch die Grünanlagen oder tauchten ins Freibad ab. Viele schwangen sich auf ihre E-Bikes, um endlich ohne Regengüsse entspannt durch ein wohltemperiertes Wochenende zu radeln.

Währenddessen quälten sich die beiden Hauptkommissare durch ihre Zeugenbefragungen zu dem brutalen Mordfall. Sie nahmen alle Termine gemeinsam wahr, damit ihnen nicht das kleinste wichtige Detail entgehen konnte. Während einer von ihnen jeweils das Gespräch führte, beobachtete der andere den Zeugen genau und machte sich zu wichtigen Details Notizen.

Da alle Zeugen im näheren Umfeld des Tatortes wohnten, konnten sie die Angelegenheit bis zum späten Nachmittag abschließen. Erfolgreich? Davon hätte Lina Eichhorn nicht gesprochen. Sie war ein wenig enttäuscht, dass ihnen der wirkliche Durchbruch auch nach dem persönlichen Gespräch mit den Zeugen nicht gelang. Die Befragten erschienen alle glaubwürdig und hilfsbereit. Aber sie hatten nicht mehr zur Aufklärung beizutragen, als bereits aus den Anrufen hervorgegangen war.

Wieder sehr viel vertane Zeit und das an einem so schönen Wochenende, dachte Lina frustriert, während sie mit Andreas, in einem Imbiss auf der Strecke zum Revier zurück, eine Kleinigkeit zu Abend aß.

„Oliver geht es zunehmend schlechter. Ich rechne täglich damit, dass er uns für immer verlässt. Er quält sich ja auch nur noch durch seine letzten Tage“, sagte Andreas Pantekook bedrückt, bevor er seine Kollegin an der *Großen Straße* absetzte.

Lina war sichtlich bewegt. Sie hatte Schwierigkeiten zu antworten, weil ihr ein Kloß im Hals die Luft nahm.

„Das ist traurig. Ich hoffe, er leidet nicht zu sehr“, brachte sie schließlich krächzend hervor. Dann verabschiedete sie sich hastig in den Feierabend.

Später in Oliver Grothes Wohnung suchte sie nach geeigneter Musik für den traurigen Anlass. Während Herbert Grönemeyer dann mit seiner unverwechselbaren Stimme sang: „Nichts war zu spät, doch vieles zu früh …“, saß sie im Schlafanzug auf dem Sofa und sah Andreas Kollegen und guten Freund vor sich. Er war leider bereits ein Sterbender gewesen, als sie ihn persönlich kennenlernen durfte. Dennoch hatte er sie nachhaltig beeindruckt.

Sie hoffte plötzlich, dass er nicht an diesem Wochenende sterben würde, weil sie befürchten musste, dass Andreas ihr dadurch bei den Mordermittlungen ausfallen könnte.

Ist das egoistisch von mir? Steht wieder nur der berufliche Erfolg im Mittelpunkt meines Denkens und Fühlens? Und der Gedanke an eine erforderliche Psychotherapie war erneut allgegenwärtig.

26. Ein Date

Jonas saß mit seinen Eltern beim Tee in der gemütlichen Küche, als sein Handy in der Hosentasche vibrierte. Er kaute noch an dem leckeren Apfelkuchen mit Sahne, den seine Mutter frisch gebacken hatte. Vater war vertieft in die Wochenendzeitung, die er über den Tisch ausgebreitet hatte. Die Mutter las gerade die Todesanzeigen und sonstige wichtige Bekanntmachungen. Sie musste immer gut informiert sein, über alles was in Emden und Umgebung in menschlicher Hinsicht passierte.

Zögernd erhob sich Jonas. Er wollte vermeiden, dass seine Eltern etwas von dem Telefonat mitbekamen.

„Ich muss mal eben“, murmelte er in Richtung des konzentriert lesenden Ehepaares und verzog sich aus der gemütlichen Küche in die Toilette, die er sorgsam hinter sich verriegelte.

„Ja, was geht, Hacke?“ Er hielt das Mobiltelefon ans Ohr, während er sich auf den geschlossenen Klodeckel plumpsen ließ.

„Was geht – was geht ... Was denkst du denn, Looser, weshalb ich dich kontaktiere?“ Hacke zeterte. Man merkte ihm an, dass Jonas, der eher langsam und schlicht im Geiste war, ihn momentan aufregte.

Der Freund spürte das auch und schwieg deshalb vorsichtshalber.

„Ich hab die Bitch für uns gedatet." Hacke machte eine Kunstpause, als hoffe er auf Applaus. Weil Jonas aber völlig still blieb, fuhr er fast geschäftsmäßig fort: „Sie kommt heute Abend zu uns. Mein Alter ist ja das Wochenende in Wien auf einer seiner luxuriösen Fortbildungen. Ich hab Melissa mit einer abgefahrenen Party geködert. Sie ist ziemlich leicht in der Birne, also total *lost*. Da war es nicht schwierig, sie rumzukriegen. Aber die prallen Titten sind geil. – Was sagst du? Bist du noch dran? JONAS?"

„Ja, ja, das ist doch toll. Wann steigt die *Session*?"

„Toll, toll! Was soll das nun wieder heißen? Da erwarte ich doch etwas mehr Begeisterung von einem guten Kumpel! Das ist absolut *on point, Digger*", versetzte Hacke leicht verärgert.

„Ja, okay, Mann, das läuft bei dir! Ich bin klar mit am Start." Jonas begann zu schwitzen und kratzte sich nervös den Bauch. Was mochte Hacke mit

Melissa vorhaben? Erregende Bilder mischten sich hinter seiner Stirn. Das Blut schoss ihm in die Lenden. Und während sein Freund ihm die Uhrzeit durchgab und noch einige perverse Bemerkungen über das Mädchen machte, rutschte seine freie Hand wie von selbst unter den Gummibund seiner Jogginghose und umschloss gekonnt seine Erektion.

Als Jonas nach einer kurzen aber heftigen Masturbation wieder mit unschuldigem Blick in der Küche erschien, diskutierten seine Eltern gerade sehr laut über einen Artikel, der in der Zeitung stand.

„Es war ein Obdachloser! Kann doch sein, dass so ein Subjekt die Kinder angegriffen hat. Da mussten die sich wehren. Und wer sagt, dass unser Jonas was damit zu tun hatte?“

Der Vater warf der Mutter einen ärgerlichen Blick zu und zog die Augenbrauen gefährlich zusammen. Jonas merkte, dass hier keine gute Stimmung mehr herrschte, und es schien irgendwie um seine Person zu gehen.

„Was ist denn los?“, fragte er so arglos wie möglich.

Frau Fokken erhob sich und kam auf Jonas zu. Sie umarmte ihn auf eine beinahe verzweifelte Art und presste ihren Kopf an seine Schulter. Weil er sie inzwischen überragte, konnte sie ihm nicht so ohne weiteres einen ihrer feuchten Küsse aufdrücken.

„Mein Junge, mein armer lieber Junge“, schluchzte sie in sein T-Shirt. „Hast du etwas angestellt, als du mit diesem Daniel Hackenbruch im Kino warst?“

Der Sohn sah sie verwirrt an. Er wusste wirklich im Moment nicht, worauf sie hinaus wollte und was das alles mit der Zeitung zu tun hatte.

„Schau doch, wie ahnungslos er guckt, Hilko!“ Die Frau wandte sich zu ihrem Ehemann um. „Unser Junge hat nichts Unrechtes getan, da bin ich mir sicher.“

Hilko Fokken deutete mit dem Zeigefinger auf den Artikel, der die Familie um ihre friedliche Teestunde gebracht hatte. „Hier steht ja auch nicht, dass dieser Jonas was angestellt hat, sondern dass er von der Polizei als Zeuge gesucht wird. Das ist eine Bürgerpflicht – meiner Meinung nach.“ Der Mann faltete die Zeitung nun so sorgfältig zusammen, dass die Telefonnummer der Polizeidienststelle sofort ins Auge sprang.

Die kleine propere Frau tätschelte zärtlich die Wange ihres schwammigen Sohnes und ergriff dann energisch die Zeitung.

„So, da halten wir uns gar nicht lange mit Telefongesprächen auf. Das werde ich mit Jonas direkt auf der Wache klären. Er ist schließlich kein Verbrecher, nicht wahr, mein kleiner Liebling?“ Sie riss sich energisch die Küchenschürze vom Leib und schlüpfte schon in ihre Schuhe, während ihr Sohn noch unmotiviert vor sich hin starrte.

Jonas folgte seiner Mutter kleinlaut zum Wagen und stieg neben ihr ein. Sie redete nun nicht mehr auf ihn ein, sondern konzentrierte sich auf die Fahrstrecke zum Polizeirevier. Sie parkte beim Bahnhofsvorplatz. Das Polizeirevier befand sich gleich daneben.

Jonas konnte noch gerade verhindern, dass seine Mutter ihn an der Hand dorthin führte. Dachte sie etwa, er sei noch ein Kleinkind? In seinem Kopf spielten sich einige Szenen nochmals ab, die er mit Hacke erlebt hatte. Es schien hier um den Obdachlosen zu gehen, dem sein Freund vor dem ehemaligen Supermarkt Manieren beigebracht hatte. War der wohlmöglich gestorben?

Er musste auf der Hut sein, damit er nichts Falsches sagte. Hacke würde ihn eigenhändig lynchen, wenn er ihn ans Messer lieferte.

Das Polizeirevier war glücklicherweise auch samstags besetzt. In einem Glaskasten saß ein Uniformierter und telefonierte. Die resolute Frau presste beherzt den Zeitungsartikel an die Scheibe und rief mit lauter Stimme: „Wir kommen wegen diesem Artikel. Das ist mein Sohn Jonas. Er hat nichts verbrochen. Er ist nur Zeuge."

Der Beamte sah die beiden erstaunt an und beendet das Telefonat sehr abrupt. Dann trat er aus dem Glaskasten und lächelte verbindlich.

„Ja, dann wollen wir mal schauen, wer von den Kollegen noch im Hause ist. Ich bringe Sie beide gleich mal in den Vernehmungsraum. Es dauert wahrscheinlich nur einen Moment. Hier bitte, nehmen Sie doch Platz!" Es hätte nur noch gefehlt, dass man ihnen ein Getränk angeboten und sie gebeten hätte, sich wie Zuhause zu fühlen.

Der freundliche Polizist schloss die Tür des Vernehmungszimmers und ließ Mutter und Sohn allein. Jonas entspannte sich zusehends. Hier schien nichts Dramatisches anzustehen, wenn der Bulle so locker war. Genüsslich begann er in der Nase zu bohren, bis seine Mutter ihn böse musterte und mit einem Mal wortlos auf die Hand schlug. Danach saßen sie eine ganze Weile schweigend in ihre eigenen Gedanken vertieft und warteten, was da auf sie zukommen würde.

Nach etwa zehn Minuten erschien der Beamte wieder. Er streckte nur den Kopf durch die leicht geöffnete Tür: „Es tut mir leid, aber die beiden Hauptkommissare haben schon Feierabend gemacht. Wäre es Ihnen recht, hier noch eine Weile zu warten, oder wollen Sie lieber Ihre Personalien angeben, sodass unsere Kriminalbeamten später zu Ihnen nach Hause kommen können? Das wäre für Sie auf jeden Fall bequemer, weil ich nicht weiß, wie lange es dauert."

„Dann fahren wir lieber nach Hause und warten dort. Wir haben ja nichts zu verbergen – nicht wahr, mein Sohn", verkündete Frau Fokken resolut und bewegte sich auch schon behände in Richtung der Tür. Jonas warf im Aufstehen seinen Stuhl um. Der krachte mit Gepolter auf den Fußboden. Seine Mutter versetzte ihm in Windeseile eine schallende Ohrfeige, bevor sie den Stuhl wieder ordentlich unter den Tisch schob und mit geröteten Wangen wie ein Schulmädchen „Bitte entschuldigen Sie!", murmelte.

Der Diensthabende zuckte unbeeindruckt die Schultern, ergriff ein Formular und trug sehr konzentriert die Angaben zur Person ein, die die kleine dralle Frau ihm diktierte.

„Einen Personalausweis haben Sie nicht zufällig dabei?“, wollte er wissen. Mit dem eilig hervorgekramten Führerschein von Frau Fokken gab er sich dann aber zufrieden.

Endlich konnten sie das Polizeirevier wieder verlassen. Jonas war die große Erleichterung anzusehen, als er hinter seiner Mutter mit hängendem Kopf zum Wagen schlurfte.

27. Jonas

Lina Eichhorn lag seit zehn Minuten mit geschlossenen Augen wunderbar entspannt in der Badewanne, als ihr Diensthandy klingelte. Genervt versuchte sie das lästige kleine Gerät mit langem Arm aus der Wanne heraus zu erreichen. Aber der Stuhl, auf dem es lustig vor sich hin plärrte, war einige Zentimeter zu weit entfernt. Es blieb ihr nichts anderes übrig, als sich aus dem duftenden Badeschaum zu erheben und ganz aus dem wohligen Wasser zu steigen.

Ihr werdet es mir büßen, wenn das jetzt nichts absolut Wichtiges ist, dachte sie wütend. Kleine Pfützen auf den Fliesen hinterlassend, nahm sie das Gespräch mit tropfender Hand an und hielt das Handy an ihr schaumverziertes Ohr.

Der Wachhabende Beamte entschuldigte sich sehr freundlich für die Störung, dann schilderte er die Situation.

„Ich hatte den Eindruck, dass es sich bei dem Jungen tatsächlich um den gesuchten Zeugen handelte. Da Hauptkommissar Pantekook leider im Augenblick nicht greifbar ist, wären Sie die einzige Zuständige in diesem Vorgang. Ist es Ihnen möglich, eine erste Befragung im Haus des Zeugen vorzunehmen? Ich wollte die Mutter mit dem Sohn hier nicht endlos warten lassen. Wir stellen Ihnen selbstverständlich einen Streifenwagen zur Verfügung."

Die Hauptkommissarin hatte sich bereits beruhigt. Gut, wenn sie nun wenigstens in der Angelegenheit der schweren Körperverletzung des Obdachlosen Fortschritte machten. Nichts nervte mehr, als in ungelösten Fällen tagelang auf der Stelle zu treten. Sie vereinbarte, dass der Streifenwagen sie in einer halben Stunde abholen sollte, beendete das Gespräch und hüllte sich auch schon in das flauschige angewärmte Badetuch.

Der so abrupt beendete Wellness-Abend hinterließ nicht nur seine Spuren in dem großzügigen Bad des Herrn Oliver Grothe, sondern auch in Linas Lockenmähne. Ihr Haar war einfach nicht zu bändigen, wenn sie ihm nicht die gewohnte Aufmerksamkeit schenkte. Und das kostete Zeit, die sie nun einfach nicht hatte. Also musste sie sich schweren Herzens mit ihrem Spiegelbild anfreunden, das sie entfernt an ein aufgeplatztes Sofa erinnerte.

Manchmal ist es bequem, dass in der Mode heutzutage alles erlaubt ist, kam ihr in den Sinn. So würde wahrscheinlich niemand an ihrem peinlichen Outfit Anstoß nehmen. Sie fand noch Zeit, ein wenig dezentes Make up aufzulegen. Dann wandte sie sich energisch von diesen unwichtigen Äußerlichkeiten ab, zog ihre leichte Jacke über, nahm die Dienstwaffe auf dem Safe und ging schon mal nach unten vors Haus, um den Streifenwagen zu erwarten.

Die Dämmerung hatte bereits eingesetzt. Der August ist ein Tagfresser, dachte sie wehmütig. Danach würde es wahrscheinlich nur noch einen kurzen regnerischen Herbst geben, dann strebte das ergraute Jahr schon wieder mit Macht dem Weihnachtsfest zu. Sie hatte unlängst tatsächlich bereits Lebkuchen in einem Supermarkt entdeckt. Wurde die Welt immer verrückter?

Am Steuer des Streifenwagens, der mit quietschenden Reifen vor dem Haus in der *Großen Straße* bremste, saß Frauke Janßen. Warum die schwangere Polizistin am Samstagabend Dienst hatte, anstatt gemütlich in ihrem trauten Heim den Babybauch zu pflegen und sich auf die bevorstehende Entbindung vorzubereiten, entzog sich Linas Kenntnis. Die agile rothaarige junge

Frau brauchte wahrscheinlich ihren Job, wie die Luft zum Atmen.

Nach einer herzlichen Begrüßung fuhren die beiden Polizeibeamtinnen ohne Zeit zu verschwenden zu der Adresse des jugendlichen Zeugen. Die Dunkelheit senkte sich unaufhaltsam über die flache Landschaft, sodass die beleuchteten Einfamilienhäuser in dem kleinen Vorort von Emden eine beruhigende Gemütlichkeit ausstrahlten.

Frauke hatte den Streifenwagen gerade vor dem Haus geparkt, als auch schon die Haustür weit aufgerissen wurde. Lina Eichhorn entstieg dem Wagen und nahm unmittelbar alles in sich auf, was ihr an Eindrücken entgegen strömte. Es war ihre Profession, exakt zu beobachten und Situationen im selben Augenblick auch schon genauestens zu analysieren. Für eine Kriminalistin war das nicht nur banales Handwerkzeug, sondern oft sogar überlebenswichtig.

In der hell erleuchteten Türöffnung stand eine nicht allzu große etwas übergewichtige Frau von vielleicht vierzig Jahren. Sie hatte dauergewelltes Haar und ein rundliches gutmütiges Gesicht mit einem ausgeprägten Doppelkinn. In der linken Hand hielt sie eine zusammengeknüllte Schürze. Mit der rechten winkte sie die Beamtinnen freundlich heran, während sie mit lauter Stimme rief: „Moin, kommen Sie nur! Hier sind Sie richtig bei Familie Fokken. Bitte schön!“

Die Lage wirkte auf Lina Eichhorn nicht bedrohlich, eher im Gegenteil. So traten die beiden Frauen entspannt in den freundlichen Bungalow ein, der merkbar in die Jahre gekommen war und ließen sich von der molligen Hausbesitzerin direkt in die gute Stube führen.

Es roch nach frisch gebrühtem Kaffee und einem blumigen aufdringlichem Putzmittel oder Raumspray. Während Lina und Frauke auf dem plüschigen Sofa Platz nahmen, eilte Frau Fokken hinaus in die Küche, um den Kaffee zu holen. Sie kam kurz darauf mit einem Tablett zurück. Im Schlepptau hatte sie ihren Sohn Jonas, der den gesamten Türrahmen ausfüllte.

Während die Hausfrau geschickt den Couchtisch mit ihrem besten Geschirr deckte und ihnen Kaffee einschenkte, stand der Sohn weiterhin wortlos in der geöffneten Tür.

„Ach, nun sieh mal einer an, das ist doch die Frau Janßen!“ Frau Fokken konnte ihre Begeisterung nicht verbergen. Es schien ihr schwerzufallen, Frauke nicht sofort freundschaftlich zu umarmen. „Erkennen Sie mich denn nicht? Sie kaufen doch morgens immer ihre Brötchen bei mir.“ Die schwangere Polizistin lächelte die Frau nun in einem plötzlichen Wiedererkennen an. Diese fügte sofort hinzu: „Immer zwei Körner, zwei Roggen und zwei Normale – nicht wahr? Eine so hübsche Kundin kann ich ja trotz der blöden Corona-Maske nicht übersehen. Was macht das Baby? Wann soll es denn soweit sein?“

„Alles okay, danke der Nachfrage, Frau Fokken! Aber nun möchte die Frau Eichhorn Ihrem Sohn Jonas ein paar Fragen stellen. Das ist wichtig“, klärte Frauke Janßen die Situation.

Die Frau erinnerte sich sofort daran, weshalb die Beamtinnen gekommen waren und schob ihren widerstrebenden Sohn zu einem Sessel, in den er sich ungelenk fallen ließ. Lina nahm das aufdringliche Aroma von kaltem Zigarettenrauch und Alkohol wahr. Der Jugendliche nestelte mit niedergeschlagenen Augen verlegen an seinen Fingern.

„Hallo, Jonas! Schön, dass Sie sich auf unseren Aufruf in der Zeitung gemeldet haben. Ich habe zunächst einige Fragen zu Ihrer Person. Sie sind doch sechzehn Jahre alt, nicht wahr? Möchten Sie lieber gesiezt oder geduzt werden?“ Die Hauptkommissarin sah den verstörten Jungen freundlich an. Sie hegte in diesem Augenblick gewisse Zweifel, ob er überhaupt gesprächsbereit sein würde.

Jonas räusperte sich zunächst. Dann sagte er an seine Mutter gewandt: „Bring mir doch mal ne Cola!“ Die Frau machte sich gleich in die Küche auf, um das Verlangte zu holen.

Als sie verschwunden war, meinte Jonas: „Ja, Sie können ruhig Du sagen. Das bin ich so gewöhnt. Meine Eltern wollten unbedingt, dass ich mich bei der Polizei melde. Aber ich weiß gar nicht, was das überhaupt bringen soll.“

„Das kannst du getrost unsere Sorge sein lassen, Jonas. Wir sind für jede Hilfe von Augenzeugen dankbar. Du weißt ja, die Polizei kann nicht überall sein, also benötigen wir die Mithilfe von aufmerksamen Bürgern.“ Lina kramte das Aufnahmegerät hervor und stellte es auf den Tisch. Jonas machte große Augen und registrierte nicht einmal, dass seine Mutter die gewünschte Cola brachte.

„Wollen Sie mich etwa aufnehmen? Ich hab nichts verbrochen“, stammelte er mit hochrotem Kopf.

Lina beruhigte ihn: „Das ist so üblich, damit die Zeugenaussage auch überall korrekt verwendet und wiedergegeben werden kann. Du willst doch auch nicht, dass dir hinterher jemand unterstellt, du hättest etwas gesagt, was du nie von dir gegeben hast, oder?“

Jonas schien in seinem Sessel zu schrumpfen, wobei er verwirrt nickte. Seine Mutter stand nun hinter ihm, hielt eine Hand auf seiner Schulter und meldete sich besorgt zu Wort: „Der Jonas ist ein guter Junge. Der hat nichts angestellt. Er ist nur Zeuge. Das stand ja auch so in der Zeitung.“

„Ja, der Jonas wird hier ausschließlich als Zeuge befragt. Er muss auch nichts sagen, was ihn persönlich belasten würde. Können wir denn jetzt mal mit der Befragung starten, Frau Fokken? Möchten Sie die ganze Zeit dabei bleiben – falls Jonas das auch will – dann müssten Sie sich aber in den Sessel setzen und eine Weile still sein.“

Jonas zuckte nur mit den Schultern. Seine Mutter setzte sich ohne ein weiteres Wort in den zweiten Sessel, wo sie erwartungsvoll die Hände im Schoß faltete.

Nachdem die Hauptkommissarin die üblichen Angaben zur Person abgefragt hatte, kam sie zum Kern der Sache: „Jonas, was hat sich denn an dem besagten Dienstagabend in Borssum vor dem leer stehenden Supermarkt zugetragen?"

Er sah ganz plötzlich auf. Seine Augen flackerten wirr. Er knetete die prallen Oberschenkel mit seinen schweißigen Händen.

„In Borssum? Am Dienstagabend? Was meinen Sie damit?", stotterte er.

„Ja, Jonas, das möchte ich jetzt möglichst genau von dir hören, denn du bist ja unser Augenzeuge."

Aller Augen waren nun erwartungsvoll auf den schwitzenden Jungen gerichtet. Er fühlte sich förmlich durchbohrt, was seine verzwickte Lage nicht erträglicher machte. Was würde Hacke in dieser Situation tun? Lügen wahrscheinlich, dachte Jonas. Aber seine Mutter würde sofort merken, wenn er log. Außerdem wusste sie, dass er Dienstag mit Hacke unterwegs gewesen war. Wie zog er sich nun bloß aus dieser Scheiße raus?

„Du warst doch nicht allein unterwegs, nicht wahr. Wir wissen, dass dort noch ein weiterer Jugendlicher war. Ist das ein Freund von dir? Dann nenn uns doch bitte seinen Namen."

„Ach, der Jonas war doch nur mit dem Daniel Hackenbruch im Kino. Das ist ein anständiger Junge. Der geht aufs Gymnasium und ist der Sohn von einem Dokter“, mischte sich Frau Fokken ein.

„Kannst du die Angaben deiner Mutter bestätigen, Jonas? War dieser Daniel der Freund, mit dem du unterwegs warst?“

Jonas biss sich auf die Unterlippe. Dann knurrte er leise: „Ich verpfeife keinen Kumpel.“

Lina versuchte es auf die sanfte Tour, der Zeuge war bereits verstört genug. „Jonas, ich verstehe, dass du niemanden, mit dem du gut befreundet bist, anschwärzen möchtest. Aber nun steckst du schon so tief in der Sache drin, da würde es wirklich helfen, wenn du uns erzähltest, was da an dem Abend vorgefallen ist. Du willst doch nicht die alleinige Schuld an dem Vorfall bekommen, obwohl du nur ein Zeuge warst?“

„Nun rede schon Junge! Wie kann einer nur so verstockt sein? Was ist denn da um Himmelswillen Schlimmes passiert?“, meldete sich die aufgeregte Mutter wieder zu Wort.

Jonas wandte sich vorwiegend an seine Mutter, als er jetzt leise und stockend zu reden begann:

„Ach, da war so'n total besoffener Penner vor dem Supermarkt. Der hat uns angemacht und rumgefurzt. Da hat Hacke den bisschen rund gemacht. War nichts besonderes nur so'n Gerangel und Gestänker. Dann sind wir mit den Rädern abgehauen, weil der Alte uns zu blöd wurde. Nachher waren wir noch in der Pommesbude." Der Junge sank nach dieser Rede vollkommen erschöpft in sich zusammen. Schweißperlen erschienen auf seiner Stirn. Er setzte das Cola-Glas an und leerte es in einem Zug.

„Na, also, das war doch nicht weiter schlimm. Nun brauchen wir aber noch die Adresse deines Freundes, denn er muss ja deine Aussage bestätigen."

In dem Augenblick, als Jonas den Polizeibeamtinnen sagen sollte, wo sein Freund wohnte, vibrierte das Handy in seiner Hosentasche. Das konnte nur Hacke sein. Der erwartete ihn zum Treffen mit Melissa. Wenn ihn diese ganze verrückte Sache bisher schon überfordert hatte, jetzt brachte sie ihn an den Rand der Verzweiflung. Er starrte die Hauptkommissarin mit offenem Mund und wirrem Blick an. Kein Wort schlüpfte über seine gefühllosen Lippen.

Seine Mutter half ihm mit der Wortgewandtheit einer langjährigen Bäckereiverkäuferin aus der Patsche – oder besser gesagt: Sie ritt ihn noch tiefer in die Scheiße!

Die Polizei hatte jedenfalls danach Hackes Namen und seine vollständige Adresse. Und das alles von Jonas Mutter.

Wenn er überleben wollte, musste er Hackes teuflischem Wutanfall ausweichen. Wie das funktionieren sollte, war ihm im Augenblick vollkommen unbegreiflich.

Er registrierte nur am Rande, dass sich die Beamtinnen freundlich verabschiedeten und mit dem Streifenwagen davonfuhren.

28. Melissa

Jonas hatte vergeblich versucht, nach dem verstörenden Besuch der Polizistinnen, zügig das Haus zu verlassen. Diesen Plan hatte er leider ohne seine Erziehungsberechtigten gemacht.

STUBENARREST!

Seine Eltern reagierten außergewöhnlich hart.

Wann war das jemals vorgekommen? Meistens konnte er seine Mutter erweichen, sobald sein Erzeuger mit der Bierflasche vor dem Fernseher hockte. Zum ersten Mal schienen Vater und Mutter jedoch ein eisernes Bollwerk zu bilden, gegen das er keinerlei Chance hatte.

Um den lästigen Fragen seiner Mutter endlich zu entgehen, verzog er sich schließlich in sein Zimmer und schloss sich ein. Hier konnte er wenigstens endlich in Ruhe mit Hacke telefonieren.

Zum wiederholten Male vibrierte sein Mobiltelefon. Er fürchtete sich gewaltig vor dem Gespräch mit dem Freund, den er so schmählich verraten hatte. Aus seinem Geheimversteck kramte er eine angebrochene Flasche Wodka hervor. Ungeduldig nahm er zunächst einen tüchtigen Schluck.

„Ja, hallo“, meldete er sich danach mit belegter Stimme.

„Hey, Jonas, Digger, was ist mit dir los? Wo steckst du und warum höre ich nichts von dir? Ich versuche dich schon den ganzen Abend zu kontaktieren.“ Hacke klang vorwurfsvoll.

„Meine Eltern sind sauer. Ich hab Stubenarrest. So’ne Scheiße.“

„Stubenarrest? So etwas Vorsintflutliches hab ich ja ewig nicht gehört. Gibt’s das denn noch?“ Hacke stieß ein teuflisches Gelächter aus. Er schien aber nicht ärgerlich auf Jonas zu sein. Seltsam, dachte der erleichtert.

„Du verpasst allerdings das Date deines Lebens, Mann. Deine gut ausgestattete Schulkameradin ist pünktlich zu unserer angeblichen Party erschienen. Sie hat ihre dämliche Freundin allerdings nicht mitgebracht. Deren Eltern hatten was dagegen. Aber Melissa allein reicht mir völlig.“ Wieder lachte der Junge. Jonas gesamter Körper wurde von einer Gänsehaut überzogen.

Er sah die hilflose Melissa in den Händen seines perfiden Freundes vor sich. Was mochte sich dort abspielen? Ein Teil von ihm wäre trotzdem in diesem Augenblick am liebsten mit von der Partie, musste er innerlich zugeben.

„Wie ist Melissa denn so?“, fragte er vorsichtig.

„Wie sie ist? Was weiß ich? Blöde Frage! Natürlich ist sie seit dem ersten Drink völlig weggetreten. Du weißt schon: K.-O.-Tropfen.“ Wieder dieses gruslige Lachen.

„K.-O.-Tropfen? Wie meinst du das? Was hast du mit ihr vor?“

„Ja, glaubst du denn, die macht freiwillig bei allem mit? Da musste ich doch bisschen nachhelfen. Ha, ha, ha!“

„Woher hast du diese Tropfen?“

„Denkst du ich lege so einfach meine geheimen Quellen offen. Du brauchst nicht alles zu wissen.“

„Okay ...“, antwortete Jonas kleinlaut.

„Willst du sie mal sehen? Ich hab schon paar hübsche Fotos gemacht. Kann ich dir sofort schicken. Damit haben wir sie in der Hand. Die wird in Zukunft alles tun, was wir von ihr verlangen.“

Hacke beendete das Gespräch und schickte im Anschluss eine Reihe von Bildern auf Jonas Handy.

Die Fotos waren im Gästezimmer der Hackenbruchs aufgenommen. Das erkannte Jonas sofort, weil er dort schon hin und wieder übernachtet hatte. Hackes Vater war ziemlich großzügig, was seine Besuche anging. Er schien froh zu sein, dass sein Sohn wenigstens *einen* Freund hatte.

Das erste Foto zeigte Melissa völlig bekleidet auf dem Gästebett. Man konnte meinen, dass sie friedlich schliefe. Sie trug einen ziemlich kurzen schwarzen Rock. Ein knapper Pulli ließ den Bauch frei. Ihr Make up wirkte übertrieben bis billig und die Wimperntusche war leicht verschmiert. Der weinrot bemalte Mund stand ein wenig offen, was ihr ein noch naiveres Aussehen verlieh. Sie wirkte wie ein Kind, das sich als Frau verkleidet hatte. Jonas empfand Mitleid.

Dann folgten drei Bilder, auf denen Melissa in Unterwäsche zu sehen war. Hacke hatte die Bewusstlose auf dem Bett in verschiedene Positionen gebracht und bestimmte Ausschnitte fotografiert. Mal sah man besonders ihre prallen Brüste, die den niedlichen rosa Spitzenbüstenhalter zu sprengen drohten. Dann hatte er das

Augenmerk auf den nackten Bauch des Mädchens gelegt. Der schmale Schlüpfer mit einem verspielten Blümchenmuster, war soweit herabgezogen, dass Jonas den Ansatz ihres intimen Vlieses hervor blitzen sah.

Das folgende Foto war durch ihre aufgestellten gespreizten Beine aufgenommen. Dazwischen bedeckte ein schmaler Zwickel des Schlüpfers nur so eben die Scheide. Rechts und links davon kräuselten sich die Schamhaare. Jonas bekam eine Erektion.

Es folgten weitere Ansichten des jungen Mädchens auf dem Bett. Hacke hatte Melissa nach und nach ständig mehr entkleidet. Es schien ihm große Freude zu bereiten, sie in immer aufreizenderen Positionen abzubilden.

Jonas bekam alle Einzelheiten des nackten Körpers in Großaufnahmen zu sehen. Seine Hand fingerte schon längst in der Hose herum. Als schließlich das letzte kompromittierende Foto seiner bewusstlosen Mitschülerin auf seinem Handy abgespeichert war, durchbebte ihn ein gewaltiger Orgasmus, der seine Hose feucht machte.

„Na, was sagst du, Mann? Scharfe Fotos? Oder sind dir etwa nicht die Augen aus dem Kopf gefallen?“ Hacke klang stolz bis überheblich.

„Schon stark, *Digger*“, stammelte Jonas anerkennend.

„Ja, die Party hätte noch besser werden können, wenn du nicht diesen dämlichen Stubenarrest hättest. Zu Zweit macht das doch mehr Spaß. Kommst du denn morgen Vormittag her? Oder gilt dein Arrest etwa das ganze Wochenende?“ Hacke klang genervt.

„Vielleicht kann ich morgen meine Mutter überreden. Mein Alter geht ja sonntags zum Skat. Bleibt Melissa denn über Nacht?“ Jonas Stimme klang verunsichert.

„Ja, denkst du die wird so schnell wieder munter? Sie hat ihrer Mutter erzählt, dass sie bei ihrer Freundin pennt. Da schöpft niemand Verdacht. Und sie wird sich hüten, jemandem ein Sterbenswörtchen von diesem Wochenende zu erzählen. Dann stelle ich nämlich diese Fotos nach und nach online. Die Bitch ist sowas von lost, das glaubst du gar nicht!“ Wieder dieses Lachen.

„Was hast du denn heute noch mit Melissa vor?“, fragte Jonas besorgt.

„Was soll ich jetzt mit ihr vorhaben? Ich hab jede einzelne Stelle ihres Körpers bis in die tiefsten Falten erkundet.“ Er grunzte wollüstig. „Die Brustwarzen sind übrigens geil. Die werden ganz hart, wenn man sie eine Weile tüchtig knetet.“ Wieder folgte dieses teuflische Lachen.

„Solange sie völlig neben sich ist, macht es mir keinen Spaß sie zu nageln. Die zeigt doch keinerlei Reaktion. Die panischen Augen sind mir wichtig, die angstvollen Schreie und die hilflosen Abwehrreaktionen. Das gibt den richtigen Kick. Wenn ich mich jetzt über Melissa hermachte, könnte ich auch auf einer Plastikpuppe herumrutschen. Aber morgen wird sie munter genug sein, um den Ernst der Lage zu erfassen“, erklärte Hacke wie im Rausch.

„Ich versuch, morgen zu kommen. Okay, Hacke?“

„Ich verlass mich drauf. Bis morgen, Jonas. Und plaudere nicht über die Sache! Es bleibt alles unter uns.“

Jonas starte sein Mobiltelefon noch eine Weile an, nachdem Hacke das Gespräch beendet hatte. Dann ging er ins Bad, warf seine Hosen in die

Schmutzwäsche und stellte sich ausgiebig unter die heiße Dusche.

Später im Bett klickte er sich noch mehrfach durch die erregende Fotoserie bis er die Augen nicht länger offen halten konnte.

29. Hacke

Lina hatte Andreas am Samstagabend eine kurze Nachricht auf sein Diensthandy gesandt. Sie wollte ihn gern am Sonntagmorgen dabei haben, wenn die Vernehmung Daniel Hackenbruchs anstand.

Pünktlich um acht klingelte es an ihrer Tür. Sie war darauf vorbereitet und eilte sofort nach unten, wo ihr gewissenhafter Kollege Pantekook bereits mit laufendem Motor wartete.

„Es tut mir sehr leid, Lina, dass ich Sie gestern Abend nicht begleiten konnte. Ich saß an Olivers Sterbebett. Er ist in der vergangenen Nacht von uns gegangen.“ Andreas Pantekook wirkte unausgeschlafen und sehr betrübt. Trotzdem fuhr er pflichtbewusst ohne murren zügig zum Haus der Familie Hackenbruch.

Lina drückte ihm unterwegs ihr Mitgefühl aus und hörte sich geduldig an, was ihm auf der Seele lastete. Erst als sie vor dem repräsentativen Neubau stoppten, machte sie ihn mit den letzten Erkenntnissen in ihrem Fall vertraut.

„Daniel Hackenbruch ist der einzige Sohn eines Arztes. Der ist - soweit bekannt – allein erziehend und unbescholten. Ich habe darauf verzichtet, den Vater gestern noch vorzuwarnen. Nach den Aussagen des verletzten Gotthilf Friedrich und denen von Jonas Fokken, können wir davon ausgehen, dass das vierzehnjährige Bürschchen es faustdick hinter den Ohren hat. Vielleicht hilft uns das Überraschungsmoment. Einen Durchsuchungsbeschluss habe ich noch nicht beantragt. Wir versuchen erst mal unser Glück aufs Geratewohl, was meinen Sie dazu, Andreas?"

Ihr Kollege nickte, kontrollierte sein Halfter mit der Dienstwaffe und stieg aus dem Wagen. Das Haus lag wie die gesamte Umgebung in einer friedlichen Sonntagmorgen-Stimmung vor ihnen. Eine ausladende Steintreppe führte zur Eingangstür. Rechts und links blühte es üppig in geschmackvollen Kübeln. Sie klingelten. Es blieb still im Haus. Vom Eingang aus konnten sie nicht nach innen blicken.

„Wir gehen am besten mal zum Hintereingang. Vielleicht sieht man da mehr. Es könnte immerhin sein, dass niemand zu Hause ist oder alle noch tief und fest schlafen", gab Pantekook zu bedenken.

Sie gingen durch eine unverschlossene Gartenpforte. An der Wand lehnte ein hellblaues Mädchenfahrrad mit dem Aufkleber einer Prinzessin aus einer Disney-Verfilmung auf der Klingel. Lina erinnerte sich schwach an den Namen Elsa. Sie hatte den winterlichen Film nicht gesehen. Ihre Tochter war damals den Kinderschuhen schon entwachsen. Der Zeichentrickfilm war aber ein Riesenerfolg gewesen. Und der Verkauf aller möglichen Souvenirs spielte gewiss noch immer zusätzliche Milliarden in die Kassen der einschlägigen Unternehmen.

Hinter dem Anwesen gab es einen gepflegten Garten mit einer großzügigen Terrasse und angrenzendem Swimmingpool. Lina zog an der gläsernen Terrassentür. Sie ließ sich ohne Schwierigkeiten aufschieben. Der Raum, den sie betraten, war eher spärlich möbliert. An den Wänden hingen Jagdtrophäen und verschiedene Hieb- und Schusswaffen. Der Hals-Nasen-Ohrenarzt schien ein Waffennarr zu sein oder wenigstens ein Sammler. Das Haus selbst wirkte weiterhin wie ausgestorben.

„Wir sollten uns bemerkbar machen. Nicht, dass hier noch jemand auf uns schießt, weil er uns für Einbrecher hält“, flüsterte Lina und tastete nach Dienstwaffe und -ausweis.

„Hallo, ist jemand zu Hause?“, rief Andreas mit lauter Stimme in Richtung der offenen Treppe, die ins Obergeschoss führte.

Ein schriller langgezogener Schrei antwortete ihnen. Die Herkunft war eindeutig weiblich. Das konnten die Hackenbruchs nicht sein. Kurz darauf hörten sie wüste Beschimpfungen. Dann rief jemand nach unten: „Jonas, bist du endlich da? Nun komm schon nach oben. Ich brauch dich hier. Die Bitch ist aufgewacht und entwickelt sich zur Wildkatze. Hahaha!“

Pantekook sagte nur: „Da ist Gefahr im Verzuge. Kommen Sie, los!“ Und schon stürmten die beiden Kriminalisten die Treppe hinauf. Sie hielten ihre Waffen im Anschlag und riefen gleichzeitig: „Hier ist die Polizei. Verhalten Sie sich ruhig und leisten Sie keinen Widerstand!“

Die Zimmertür im Obergeschoss stand auf und ein nacktes Mädchen mit verheultem Gesicht schoss im nächsten Moment daraus hervor. Es umklammerte Schutz suchend ein zerknülltes Kopfkissen, das die Spuren seines verwischten Make-ups trug.

„Hilfe! Hilfe“, rief die Kleine mit zitternder Stimme, dann brach sie unmittelbar vor den beiden Beamten zusammen.

Lina bückte sich beruhigend nach dem Mädchen. Gleichzeitig zückte sie ihr Diensttelefon, um den Rettungsdienst zu alarmieren.

Pantekook stürmte in der Zwischenzeit in das Zimmer und kam kurz darauf mit einem Jungen im Schlafanzug wieder heraus. Er hatte ihm den Arm auf den Rücken gedreht, weil der durchtrainierte Daniel Hackenbruch starken Widerstand leistete.

„Lina, ich brauch die Handschellen für den wilden Bengel. Der entwischt mir sonst noch. Ich bin schließlich nicht mehr der Jüngste."

Die Hauptkommissarin ließ die Handschellen um die dünnen Gelenke des Jugendlichen einschnappen. Der warf ihr nur einen vernichtenden Blick zu, sagte aber kein Wort.

„Die Plünnen von der Kleinen liegen neben dem Bett. Sie will sich sicher was anziehen, bevor der Rettungswagen kommt."

Hauptkommissar Pantekook nickte ihnen aufmunternd zu, schnappte sich Hacke und führte ihn die Treppe hinunter ins Erdgeschoss. Dort veranlasste er ihn sich zu setzen und stellte das Aufnahmegerät ein.

„So, ich gehe mal davon aus, dass du Daniel Hackenbruch bist? Ist dein Vater nicht zu Hause?“

„Ph!“, machte der Junge, dann spuckte er in Andreas Richtung.

„Ach so, der junge Herr ist unkooperativ? Wir werden auch ohne deine Hilfe herausfinden, was du hier treibst. Und wo sich dein Erziehungsberechtigter aufhält, wird ja kein Geheimnis sein. Notfalls bekommen wir bei Gefahr im Verzuge sofort einen Durchsuchungsbeschluss und du gehst in Untersuchungshaft.“

Frau Eichhorn kam mit Melissa die Treppe herunter. Sie hatte das Mädchen, nachdem es wieder vollkommen angezogen war, zusätzlich in eine graue weiche Wolldecke gehüllt, die zusammengerollt in einer Zimmerecke lag. Trotzdem zitterte die Kleine noch immer am ganzen Körper. Lina ging mit ihr vorsichtshalber ins Esszimmer, weil Melissa vor ihrem Peiniger ängstlich zurückschreckte.

Sie nahm die Personalien der vierzehnjährigen Schülerin auf und ließ sich kurz berichten was vorgefallen war. Das Mädchen hatte aber nur lückenhafte Erinnerungen. Sie wunderte sich selbst darüber, dass sie nackt in diesem Bett im Haus der Hackenbruchs aufgewacht war.

„Vielleicht waren Drogen im Spiel?“, fragte Lina so sanft sie konnte. Melissa zuckte nur die Schultern und begann zu weinen.

„Ich rufe jetzt bei dir zu Hause an, damit jemand zu dir ins Krankenhaus kommt. Du musst gründlich untersucht und eventuell behandelt werden. Ich komme nachher dann auch noch vorbei und spreche selbst mit deinen Eltern.“

„Es gibt nur meine Mutter. Mein Vater ist kurz nach meiner Geburt abgehauen.“ Wieder weinte sie.

Nachdem Lina den emotional schwierigen Anruf bei der völlig verstörten Mutter erledigt hatte, und Melissa ins Krankenhaus abtransportiert worden war, besprachen sich die beiden Kollegen über die weitere Vorgehensweise.

Während sie im Esszimmer miteinander redeten, polterte der Junge nebenan herum und schrie: „Kann ich mich nun vielleicht auch mal anziehen? Und wann gibt’s endlich Frühstück? Mein Vater wird Sie sowas von verklagen, da bekommen Sie kein Bein mehr an den Boden!“

„Der Bengel ist unleidlich und verstockt. Wir sollten den Haftrichter anrufen, damit er Untersuchungshaft beschließt. Es gibt meiner Meinung nach genug Haftgründe. Außerdem scheint er hier vollkommen allein ohne Aufsicht zu sein", schlug Andreas vor.

„Vielleicht können wir über sein i-Phone den Erziehungsberechtigten erreichen. Die Mobilfunknummer ist doch bestimmt dort eingespeichert." Lina war schon auf dem Weg in das Terrassenzimmer, um nach dem Telefon zu fragen. Andreas folgte ihr.

Hacke saß nicht mehr im Sessel. Er hampelte wegen der Handschellen ungelenk im Zimmer umher und schien etwas zu suchen. Als er die Hüter des Gesetzes erblickte, wurde er wütend.

„Wird's jetzt denn mal langsam? Wie lange wollen Sie mich noch foltern? Ich bin minderjährig. Mein Vater wird Sie verklagen bis nach Meppen!"

„Nun mal ganz ruhig, junger Mann! Mit vierzehn bist du strafmündig. Das dürfte dir bekannt sein. Und es gibt einige erdrückende Zeugenaussagen, die dir ein paar Jahre Jugendhaft einbringen dürften", erklärte die Hauptkommissarin emotionslos. Dann fügte sie etwas milder hinzu: „Wenn du dich kooperativ zeigst und uns die Mobilfunknummer deines Vaters gibt's, könnten wir eventuell auch etwas für dich tun."

„Ph“, zischte Hacke wieder und spuckte erneut aus.

„Ich mache mich auf die Suche nach dem verdammten Handy. Im Schlafanzug kann er es ja nicht verstauen. Also muss es irgendwo herumliegen.“ Hauptkommissar Pantekook stieg seufzend die Treppe zum Obergeschoss hinauf.

„Unterstehen Sie sich ... Das ist Diebstahl! Ich protestiere auf das Entschiedenste!“ Der Junge zeterte unablässig weiter und stieß wüste Beschimpfungen gegen die Beamten aus.

Schließlich hatte Andreas das i-Phone gefunden und kam damit nach unten. Es war glücklicherweise nicht gesperrt. In der Telefonliste ließ sich der Vater schnell finden.

Lina übernahm den Anruf. Dr. Hackenbruch meldete sich sofort. Er teilte mit, dass er sich bis zum Abend auf Dienstreise befände. Als er über die Tatsache aufgeklärt wurde, dass sein Sohn in Polizeigewahrsam genommen werden sollte, wurde er aufbrausend. Er schimpfte, dass ohne den Anwalt der Familie keinerlei Verhöre stattfinden dürften. Außerdem wollte er Klage erheben wegen Hausfriedensbruchs und so weiter und so weiter.

Lina klingelten die Ohren, als sie das Gespräch schließlich beendete. Sie ahnte, dass ihnen noch weitere nervige Begegnungen bevorstünden.

Während der minderjährige Beschuldigte sich unter Andreas Aufsicht wortlos anzog und anschließend - provozierend langsam - ein kleines Frühstück zu sich nahm, telefonierte Lina mit dem Staatsanwalt und dem Haftrichter.

Da der Haftrichter die Ankunft des Erziehungsberechtigten nebst Familienanwalt abwarten wollte, sollte der Jugendliche solange in Polizeigewahrsam verbleiben. Also nahmen sie Daniel Hackenbruch vorerst mit zum Revier.

30. Recht und Gesetz

Nachdem der verdächtige Daniel Hackenbruch im Polizeirevier sicher untergebracht war, begab sich Lina Eichhorn ins Emder Krankenhaus, um mit Melissa und ihrer Mutter noch einige notwendige Fragen zu klären.

Das Mädchen war als Opfer gleichzeitig eine wichtige Zeugin der Anklage, deshalb durften sie keine Fehler machen. Es geschah nicht selten, dass kleine Ungereimtheiten bei der Untersuchung des Tathergangs im anschließenden Prozess die Verurteilung eines Täters verhinderten. Und der Hauptkommissarin war es in diesem Fall bereits klar, dass sie es mit einem der trickreichsten Anwälte der Region zu tun bekommen würden.

Sie veranlasste also, dass alle medizinischen Untersuchungen des Mädchens akribisch vorgenommen und dokumentiert werden sollten. Mit den behandelnden Ärzten hatte sie keine diesbezüglichen Probleme. Sie arbeiteten bereitwillig mit der Polizei zusammen, besonders in dem Fall einer minderjährigen Betroffenen.

Auch Melissas Mutter wirkte sehr hilfsbereit. Sie war eine gepflegte noch ziemlich junge Frau, die einen handfesten Eindruck bei Lina hinterließ und sich überaus entgegenkommend zeigte. Sie schien der Hauptkommissarin dankbar zu sein und gleichzeitig ein schlechtes Gewissen zu haben, weil sie die auswärtige Übernachtung ihrer vierzehnjährigen Tochter ohne einen Kontrollanruf erlaubt hatte.

Die Hauptkommissarin verließ die Klinik nicht ohne einen Blick auf das andere Opfer, Gotthilf Friedrichs, zu werfen. Der Mann versuchte gerade mit großer Anstrengung eine Suppe zu löffeln. Sein bandagierter Arm und das bis zur Unkenntlichkeit geschwollene in allen Farben angelaufene Gesicht machten die Nahrungsaufnahme zu einem fast unlösbaren Problem.

Frau Eichhorn störte den schwer Verletzten dabei ungern. Sie teilte ihm deshalb lediglich kurz mit, dass sie die beiden Jugendlichen ermittelt hätten und vielleicht demnächst nochmals seine Unterstützung für eine Gegenüberstellung benötigen würden. Dann verabschiedete sie sich eilig mit guten Genesungswünschen. Ein greifbares Gefühl tiefen Mitleids stieg in ihr auf, als ihr letzter Blick die undefinierbare schleimige Krankenhaussuppe erfasste.

Den Weg zurück ins Polizeirevier trat sie zu Fuß über die Wallanlagen an, genau so wie sie das Krankenhaus auch erreicht hatte. Sie benötigte zwischen den pausenlosen Befragungen etwas frische Luft und Bewegung, um den Kopf frei zu bekommen. Emden bot dazu jede Menge abwechslungsreicher Gelegenheiten. Eine ansprechende ostfriesische Stadt, dachte Lina wieder.

Sie hätte es wahrhaftig schlechter treffen können, auch wenn der Mordfall an der obdachlosen Jule inzwischen fast von den aktuellen Fällen verdrängt worden war. Es nagte an ihr, dass sich diese Angelegenheit derart in die Länge zog. Hoffentlich würden sie in der nächsten Woche auch hier endlich einen Durchbruch erleben. Sie wollte unbedingt vermeiden, von dem ungelösten Fall abgezogen zu werden. So etwas wäre derart unbefriedigend, dass sie schon bei dem bloßen Gedanken einen starken inneren Widerwillen verspürte.

Sie beschleunigte ihre Schritte und verfiel fast in einen Dauerlauf, wodurch sie das Revier ziemlich schnell erreichte.

Pantekook hatte schon etwas Essbares besorgt, als Lina leicht hinter Atem im Büro auftauchte. Also verspreiste sie sehr hungrig zuerst einen ganz annehmbaren Burger, bevor sie sich wieder dem Tagesgeschäft zuwandte, das auch vor Sonn- und Feiertagen nicht haltmachte. Die Kriminalität schlief nie und gönnte sich keine Pausen. Verständlich, dass die Gesetzeshüter, die normale menschliche Bedürfnisse verspürten, immer hinterher hinkten.

„Der Junge hat inzwischen zu randalieren aufgehört. Es wurde ihm wahrscheinlich zu anstrengend. Ich hab ihm auch einen Burger gebracht und eine Cola. Die sollen ja nicht behaupten, dass der von uns schlecht behandelt worden wäre", berichtete Andreas Pantekook nach dem Essen. Daniel Hackenbruchs I-Phone und dessen mit einem Passwort gesperrten Laptop hatte er an Joe weitergegeben. Der wollte sich darum kümmern, dass alle für den Fall wichtigen Informationen daraus gewonnen wurden. Die rechtliche Erlaubnis dafür hatten sie aufgrund der Sachlage problemlos erhalten.

„Hat sich der Familienanwalt - Dr. de Broer – schon gemeldet?" Lina blickte von ihren Unterlagen auf, wo sie stichpunktartig alle wichtigen Informationen notiert hatte.

„Bis jetzt ist es noch ruhig. Ich denke, er wird mit dem Vater hier auflaufen, sobald der von seinem

Wochenendtripp zurück ist. Ich rechne erst gegen Abend mit ihnen. Allerdings wird der Haftrichter trotzdem Untersuchungshaft anordnen. Dessen bin ich mir ziemlich sicher. Schließlich haben wir das Glück gehabt, den Burschen in flagranti zu ertappen. Das gelingt wahrhaftig nicht so oft." Andreas Pantekook strahlte über das ganze Gesicht vor Stolz.

In diesem Moment erschien Joe Kokker hinter ihm im Türrahmen. Er drückte seinen Kollegen ohne Umschweife zur Seite und ließ sich auf einen der Besucherstühle fallen. Mit der Rechten wedelte er mit dem I-Phone des Jungen durch die Luft, während er sich die Linke an die Stirn presste, als plagten ihn höllische Kopfschmerzen.

„Ihr glaubt das nicht, was ich bei dem Minderjährigen alles auf diesem I-Phone entdeckt habe! Das ist ein Lümmel schlimmster Sorte. Schon allein diese Fotos von dem Mädchen ... Gut, dass Ihr beide Schlimmeres verhindern konntet."

Andreas und Lina sahen sich die Fotos mit großen Augen an und schüttelten synchron ihre Köpfe.

„Ich hab außerdem ein Bewegungsprofil veranlasst. So können wir gegebenenfalls nachweisen, dass dieses Mobiltelefon sich zu bestimmten

Zeiten an gewissen Orten befand. Das ist interessant für die Körperverletzung in der Ihr ermittelt. Und ich denke, der hat noch mehr auf dem Kerbholz. Wenn Ihr den zum Reden bringt, werden euch wahrscheinlich die Ohren vom Kopf abstehen!" Joe nestelte nachdenklich an seinem Pferdeschwanz. Dann warf er ihn mit einem Ruck über die Schulter nach hinten. „Habt Ihr diesen Jonas schon überprüft? Das ist wohl sein spezieller Kumpel. Die telefonieren oder schreiben sich täglich mehrfach. Er hat ihm auch die Fotos von dem Mädchen geschickt. Hoffentlich wurden die kompromittierenden Abbildungen nicht bereits im Netz verbreitet!"

„Lina hat Jonas Aussage zu der Körperverletzung aufgenommen. Das war aber eher unspektakulär. Natürlich können wir nicht erwarten, dass der seinen Kumpel ans Messer liefert. Kann ja auch sein, dass er selbst tiefer mit drin steckt, als wir bisher ahnen", antwortete der Hauptkommissar nachdenklich.

„Ich befürchte, dass der Herr Doktor mit seinem tollen Anwalt verhindern wird, dass sein Sohn redet. Außerdem erscheint Daniel Hackenbruch ziemlich intelligent und verschlagen. Da werden wir keine Aussagen bekommen, die uns weiterhelfen. Wir müssen ihm schon alles mühsam nachweisen, damit es zu einer Verurteilung kommt", meldete sich Lina zu Wort. Dann fügte sie leise lächelnd hinzu: „Mit Jonas dürften wir da wahrscheinlich mehr Glück haben. Wenn der etwas weiß, könnten wir ihn vielleicht zu einer brauchbaren Zeugenaussage veranlassen. Seine Mutter macht ihm bereits jede Menge Druck."

„Laden wir den Knaben einfach nochmal vor, ob mit oder ohne Mutter. Das wäre doch gelacht, wenn wir ein sechzehnjähriges Bürschchen nicht zum Reden bringen! Nicht wahr, liebe Kollegin?" Pantekook griff sofort zum Telefon, um die erneute Befragung von Jonas Fokken zu veranlassen.

Frau Fokken tauchte ohne große Verzögerung neuerlich mit ihrem sichtlich unmotivierten Sohn Jonas auf dem Polizeirevier in Emden auf. Diesmal mussten sie nicht lange in dem Verhörraum warten, da erschien die ihnen bereits bekannte Hauptkommissarin in Begleitung eines älteren Beamten, der einschüchternd seriös auftrat.

„Hier sind wir! Schneller hab ich es nicht geschafft. Was wollen Sie denn noch von Jonas?" Die Mutter wirkte unterwürfig, während sie den Hauptkommissar ein wenig ängstlich musterte.

„Nun nehmen Sie doch bitte wieder Platz, Frau Fokken. Ich bin Hauptkommissar Pantekook und meine Kollegin Frau Eichhorn kennen Sie ja bereits. Wir haben nur noch ein paar Fragen an Ihren Sohn. Vorerst können Sie dabei bleiben, wenn das für Sie beide so in Ordnung ist." Andreas nahm neben Lina Platz und schaltete das Aufnahmegerät ein.

Der Junge begann zu schwitzen und blickte stur vor sich auf die Tischplatte.

„Jonas, du hast meiner Kollegin die Begegnung mit dem Obdachlosen vor dem leerstehenden Supermarkt als ein eher harmloses Geplänkel geschildert. Wie kommt es dann, dass dieser arme Mann nach eurem Zusammentreffen nun mit schwersten Verletzungen im Krankenhaus liegt?" Der Hauptkommissar bedachte Jonas mit einem Blick, der am Ernst der Lage keine Zweifel ließ.

„Was soll das nun wieder bedeuten? Jonas ist nur als Zeuge hier. Er hat doch dem Mann nichts getan. Nun sag endlich was, Junge!" Frau Fokken stieß ihrem Sohn unwirsch in die von Speckrollen kaschierten Rippen.

Die beiden Kriminalisten warteten geduldig auf die Reaktion des Jugendlichen. Dieser hob zögernd den Blick, schaute zuerst seine Mutter und dann der Reihe nach die beiden Beamten an, als wisse er nicht, worum es hier ging und warum er eigentlich dort saß. Als die Stille im Raum sich unangenehm ausbreitete, räusperte er sich laut und sagte nur: „Ach?“

„Nun erzähl schon, was da genau passiert ist! Lass dir doch nicht die Worte aus der Nase ziehen! Nachher hängen die dir noch was an“, zeterte die Mutter und zerrte am Arm des Jungen, als wollte sie die Antwort aus ihm herausschütteln.

„Nun lass doch, Mama! Das ist hier meine Sache. Ich bin kein Kleinkind“, stammelte Jonas und befreite seinen Arm unwirsch aus der Umklammerung.

Die beiden Beamten beobachteten still die Szene. Die Ruhe schien den Befragten nervös zu machen. Er kratzte sich den Kopf und zog ein Taschentuch aus der Hose, um sich vernehmlich die Nase zu schnäuzen.

„Ich hab den Kerl nicht angerührt und weiß nicht mehr, als was ich gesagt hab. Da müssen Sie Hacke schon selber fragen.“ Jonas bildete ein Bollwerk, indem er demonstrativ beide Arme vor der Brust verschränkte.

„Dein Freund sitzt bereits hier auf dem Revier in der Arrestzelle. Der hat uns schon einiges erzählt. Wir möchten nur wissen, was du als Zeuge gesehen hast, dann kannst du mit deiner Mutter nach Hause gehen“, erklärte die Hauptkommissarin ziemlich sanft.

„Also Junge, wenn du nichts getan hast, dann kannst du doch ruhig erzählen, was da los war mit dem Obdachlosen. Hat der euch angegriffen?“, mischte sich die Mutter wieder ein.

„Ich verpfeife keinen Kumpel! Soll Hacke das doch selbst erzählen“, brachte Jonas kleinlaut hervor.

„Du bist verpflichtet als Zeuge vor der Polizei auszusagen. Dazu kann man dich per Gesetz zwingen. Der einzige Grund zu schweigen wäre, dass du dich durch eine Aussage selbst belastest“, erklärte Lina Eichhorn ihm.

Pantekook fügte streng hinzu: „Schweigst du also, weil du den Mann krankenhausreif geprügelt hast? Bei deinem Körperbau wäre es beinahe vorstellbar.“

Schreiend sprang Jonas vom Stuhl auf: „Nein, ich war das doch nicht! Hat Hacke das etwa behauptet?“

Frau Fokken rang schreckensbleich und stumm die Hände.

„Setz dich mal wieder ruhig hin, Jonas! Und nun erzähle uns die ganze Geschichte, wie sie sich wirklich zugetragen hat. Dann wird es dir hinterher besser gehen“, beschwichtigte die Hauptkommissarin den verstörten Jungen.

Jonas Widerstand war kurz darauf gebrochen. Endlich erklärte er sich bereit, eine wahrheitsgemäße Aussage zum Tathergang zu machen. Die Angaben deckten sich weitestgehend mit den Schilderungen des Opfers, so dass an der Glaubwürdigkeit kein Zweifel bestand. Daniel Hackenbruch kam bei der Sache nicht gut weg, auch wenn sein Freund Jonas die Dinge zu bagatellisieren versuchte.

Sie ergriffen die günstige Gelegenheit, ihn anschließend noch zu Melissa zu befragen. Mit hochrotem Kopf stammelte er einige Belanglosigkeiten zusammen. Etwas Brauchbares brachten sie nicht aus ihm heraus. Die Fotos des Mädchens habe er an niemanden weitergeschickt, beteuerte er aufgeregt. Und am fraglichen Abend, als Daniel Hackenbruch Melissa eingeladen hatte, war er glücklicherweise nicht vor Ort gewesen.

Er besaß das bestmögliche Alibi: Lina Eichhorn hatte ihn zu der Zeit verhört. Und danach war er, nach glaubwürdiger Aussage der Mutter, gezwungenermaßen Zuhause geblieben.

Nachdem die abscheuliche Fotoserie von seinem Mobiltelefon gelöscht und das Aussageprotokoll unterschrieben war, konnten Jonas und seine Mutter das Revier sichtlich erleichtert verlassen.

Noch bevor die beiden Hauptkommissare jedoch richtig zum Durchatmen kamen, erschien Dr. Hackenbruch mit seinem Anwalt im Schlepptau auf dem Kommissariat.

Es würde ein langer anstrengender Sonntag werden!

31. Endspurt

Lina Eichhorn hatte in der Nacht vom Sonntag zum Montag nicht viel geschlafen.

Nachdem Dr. Hackenbruch und der gewiefte Strafverteidiger Dr. de Broer auf dem Polizeirevier erschienen waren, hatte sich ein zäher verbaler Austausch zwischen ihnen und den Hauptkommissaren endlos hingezogen. Der HNO-Arzt war in kostbarem dunkelgrünem Loden erschienen, ganz wie es sich für einen passionierten Jäger schickte. Es fehlte nur der Hut mit Gamsbart. Er hatte einen hochroten Kopf gehabt, so dass Lina Eichhorn zuweilen befürchtete, er könnte kollabieren.

Während des Gesprächs unter sechs Augen, das der Vater mit seinem Sohn im Beisein des Anwalts führen durfte, wirkte Daniel so eingeschüchtert, dass die Kriminalbeamten ihn kaum wiedererkannten. Leider war es ihnen nicht erlaubt mitzuhören, aber sie hatten die drei durch die Glasscheibe beobachtet. Das war enorm aussagekräftig gewesen. Der Vierzehnjährige hatte seine Großmäuligkeit völlig eingebüßt. Er erschien ihnen wie ein Kleinkind, das Angst hatte, etwas Falsches zu sagen, weil es den strengen Vater fürchtete.

Das Endresultat des abendfüllenden fruchtlosen Geplänkels war ein – auf Veranlassung des Anwalts - standhaft schweigender Daniel Hackenbruch. Durch die Hinzuziehung des vorgewarnten Haftrichters, wurde er, allerdings trotz seines jugendlichen Alters und der lautstarken Proteste der beiden Akademiker, in die Untersuchungshaft überführt.

Zuhause angekommen war Lina vollkommen geschafft und zu keinem klaren Gedanken mehr fähig gewesen. So hatte sie sich nur noch fürs Bett fertig gemacht, aus Grothes umfangreicher Sammlung ein ansprechendes Buch ausgewählt und sich in die Federn verkrochen.

Als sie nun aufwachte, lag der Roman nachlässig halb aufgeschlagen mit einem großen Eselsohr auf dem Boden neben dem Bett. Die hübsche kleine Nachttischlampe brannte noch. Ihr Gewissen regte sich. Dann fiel ihr ein, dass Oliver Grothe das Buch niemals mehr in die Hand nehmen konnte. Sie bückte sich danach, um es dennoch wieder ordentlich in das Regal zu stellen.

Ein unbändiger Durst schnürte ihr fast die Kehle zu. Durch den gestrigen Stress, hatte sie eindeutig zu wenig getrunken. Also stürzte sie erst einmal ein großes Glas kühles Wasser - frisch aus dem Hahn - in sich hinein. Nach dem Duschen war dann sogar noch etwas Muße für Ostfriesentee und ein Käsebrot. Kaffee trank sie während der Arbeitszeit immer genug, deshalb bevorzugte sie in der Freizeit Tee.

Es nieselte leicht, während sie den Weg zum Revier zu Fuß zurücklegte. Sie hatte aber vorgesorgt und einen Schirm mitgenommen. Glücklicherweise hielt sich der Wind heute in Grenzen. Aus der Vergangenheit waren ihre Erfahrungen mit Schirmen im ostfriesischen Schietwetter eher negativ gefärbt.

Im Büro wirkte alles hell und freundlich. Andreas hatte schon für Kaffee und Croissants gesorgt. Sie stellte den feuchten Schirm zum Trocknen aufgespannt in eine Ecke des Raumes. Dann ließ sie sich auf den Schreibtischstuhl sinken, um die Unterlagen durchzusehen, die sich dort angesammelt hatten.

Nach ihrem Aufklärungserfolg, der sogar mit einer Verhaftung abgeschlossen wurde, waren nun die Berichte zu schreiben. Andreas machte sich persönlich auf, um in der übergeordneten Dienstelle Leer für alle notwendigen Informationen zu sorgen. Dort sollte auch mit den Vorgesetzten eine abschließende Pressemitteilung formuliert werden, was angesichts des jugendlichen Verdächtigen eine gewisse Herausforderung darstellte.

Es klopfte kurz an Linas Bürotür. Joe Kokker streckte seinen Kopf vorsichtig um die Ecke.

„Ich hoffe, ich störe nicht, Lina? Ihr hattet ja am vergangenen Wochenende genug Stress. Ich war nicht sicher, ob einer von euch heute schon so früh hier ist. Andreas ist jedenfalls nicht in seinem Büro.“ Er ließ sich in gebührendem Abstand von ihr - wegen der Corona-Vorschriften - auf einem Besucherstuhl nieder.

„Andreas war schon vor mir im Büro. Der musste zum Rapport nach Leer“, erklärte Lina ihm mit einem zaghaften Lächeln und schob seufzend den Papierkram von sich.

„Ich will auch gar nicht lange nerven. Ich weiß ja, du hast zu tun. Aber nachdem ich mir den Computer von diesem Daniel näher angeschaut habe, kann ich mich des Verdachts nicht erwehren, dass der mit dem Mordfall an der Obdachlosen etwas zu tun haben könnte.“

Die Hauptkommissarin blickte ihn erstaunt an. Dann erfuhr sie, dass Joe auffällige Aktivitäten des Jugendlichen festgestellt hatte, die derartige Rückschlüsse zuließen.

„Er bewegte sich regelmäßig auf Seiten und in Foren, die mit Samurai-Kriegern zu tun haben. Außerdem hat er nach Informationen über Schrumpfköpfe gegoogelt. Was meinst du, könnte der Vierzehnjährige für die Tat selbst infrage kommen? Vielleicht gehört er ja auch zu einer Art Bande, die Obdachlose bedroht?", spekulierte Joe.

„Soviel ich weiß, hat er nur einen einzigen Freund. Das ist Jonas. Der erscheint mir eher ein Mitläufer zu sein, obwohl er der Ältere von beiden ist. Er hat unserer Befragung wegen der Körperverletzung nicht lange standgehalten. Im Gegensatz dazu, ist aus Daniel Hackenbruch nichts herauszubekommen. Der strenge konservative Vater und sein versierter Anwalt tun ihr übriges, um ein Geständnis des Jungen zu verhindern", erklärte Lina nachdenklich.

Dann fügte sie wie nach einem Gedankenblitz hinzu: „Ich erinnere mich, dass wir in dem Haus der Hackenbruchs eine regelrechte Waffensammlung gesehen haben. Der Doktor ist passionierter Jäger und scheinbar auch ein großer Sammler alter Waffen. Da hingen Säbel oder sowas ähnliches und altertümliche Schusswaffen an der Wand. Ich bin dafür aber nicht gerade eine Spezialistin. Vielleicht sollten wir nun doch noch eine Hausdurchsuchung beantragen. Da wird Dr. Hackenbruch wahrscheinlich steil gehen. Wenn der mal keinen Herzinfarkt bekommt."

„Bei dieser Verdachtslage haben wir bestimmt keine Schwierigkeiten einen Hausdurchsuchungsbeschluss zu erhalten", bekräftigte der Kollege voller Zuversicht. Er verabschiedete sich und versprach, ihr einen Bericht zu seinen Recherchen auf den Computer zu schicken, damit eine Hausdurchsuchung ausreichend begründet werden konnte.

Lina bedauerte innerlich, dass ihr *Indianer* nun so schnell wieder aus ihrem Büro verschwand. Diese blöden Corona-Regeln machten die unbeschwerte Nähe zwischen den Menschen leider im Augenblick beinahe unmöglich. Es gab sogar teilweise Vorschriften, mit wie vielen Gästen man privat feiern durfte. Gut, dass durch die regelmäßigen Tests wenigstens die Gefahr der Ansteckung unter den Kollegen gering war. Sie hatte sich auch schon mehrfach impfen lassen. Dadurch fühlte sie sich vor einer schweren Vireninfektion gut geschützt.

Während sie die Berichte mechanisch in den Computer tippte, kreisten ihre Gedanken immer wieder um den grausamen Mord an Jule.

Konnte es möglich sein, dass der vierzehnjährige Daniel die Frau brutal geköpft hatte? Die Anzahl jugendlicher Straftäter hatte in letzter Zeit in Deutschland stark zugenommen - aber solch ein brutales Verbrechen? Was mochte in einem so jungen Täter vor sich gehen oder was dazu geführt haben, dass er so mitleidslos vorging? Sie bedauerte, dass der Junge selbst keinerlei Angaben gemacht hatte.

Nachdem endlich sämtliche Schreibarbeit erledigt war, telefonierte sie mit Andreas. Der befand sich inzwischen auf dem Weg ins Revier zurück. Er war nach Lage der Dinge ebenfalls der Meinung, dass eine Hausdurchsuchung bei Hackenbruchs durchgeführt werden sollte. Die Aussicht, auch in dem schrecklichen Mordfall endlich ein Stück weiterzukommen, beflügelte die beiden Kriminalisten. Von Müdigkeit war nun nichts mehr zu bemerken. Sie fühlten sich auf der Zielgeraden und setzten zum Endspurt an.

„Was halten Sie davon, wenn wir auch dem Jonas nochmals auf den Zahn fühlen. Wohlmöglich weiß er etwas über den Tathergang, wenn er nicht sogar beteiligt war.“ Andreas wirkte schlagartig sehr rege und eifrig.

„Ja, das hatte ich schon überlegt. Er wird wahrscheinlich jetzt noch in der Schule sein. Aber ich rufe mal bei Fokkens an. Vielleicht habe ich Glück und erwische jemanden.“ Lina beendete das Telefonat mit dem Kollegen, um gleich die nächste Nummer zu wählen. Leider hatte sie keinen Erfolg. Die Familie war offensichtlich nicht Zuhause.

Entschlossen schaute sie in ihre Unterlagen. Dort fand sie die Anschrift der Schule, auf die Jonas und Melissa gingen. Ohne Umstände forderte sie einen Streifenwagen an, um Jonas vom Unterricht abholen zu lassen.

Bis der Sechszehnjährige auf dem Revier erschien, konnte sich die Hauptkommissarin um den Hausdurchsuchungsbeschluss kümmern. Der Staatsanwalt machte ihnen tatsächlich keinerlei Schwierigkeiten.

Andreas und Lina beschlossen die Vernehmung und die Hausdurchsuchung zwischen sich aufzuteilen. So konnten sie beides parallel abarbeiten und vermutlich erheblich schneller zum Abschluss des Falles gelangen.

Pantekook fuhr bereitwillig mit den Kollegen zum Haus der Hackenbruchs. Frau Eichhorn wollte Jonas' Befragung durchführen.

Der Junge wirkte eingeschüchtert auf sie, als er mit hängendem Kopf zwischen zwei Uniformierten den Verhörraum betrat. Auf dem Tisch stand bereits eine Flasche Cola. Daneben lag eine Tüte Kartoffelchips. Lina wollte für eine entspannte Atmosphäre sorgen – soweit das unter den gegebenen Umständen möglich erschien.

Sie bat Jonas sich zu setzen, nachdem sie die beiden Polizisten mit einem Dankeschön aus der Verantwortung entlassen hatte.

Der Junge starrte ausdruckslos auf die Kartoffelchips und atmete hörbar.

„Hallo, Jonas! Ich hoffe die Kollegen haben dich nicht aus einer wichtigen Unterrichtsstunde herausgeholt? Es war aber leider nötig mit dir noch ein paar Punkte betreffend deinen Freund Daniel Hackenbruch durchzugehen." Da ihr Gegenüber keinerlei Reaktion zeigte, begann die Hauptkommissarin sofort mit der Befragung.

„Ich habe das Aufnahmegerät eingeschaltet, Jonas. Zu Anfang weise ich dich nochmals darauf hin, dass du die Aussage nur verweigern kannst, wenn du dich selbst dadurch belasten würdest. Vorerst wirst du hier nur als Zeuge befragt. Alles verstanden?“

Jonas nickte fast unmerklich.

„Du musst schon eine Antwort geben. Das Aufnahmegerät kann dich nicht sehen“, bemerkte Lina mit einem kleinen Lächeln. Dann fügte sie hinzu: „Wenn du erst etwas trinken oder ein paar Chips essen möchtest, bediene dich einfach. Es ist schließlich schon fast Mittagszeit. Vielleicht hast du Hunger?“

„Geht schon!“ War die zaghafte Antwort.

„Dein Freund Daniel sitzt nun in Untersuchungshaft. Er wurde von uns auf frischer Tat ertappt, als er deiner Mitschülerin Melissa schlimme Dinge angetan hat. Außerdem wird ihm die schwere Körperverletzung an dem wohnungslosen Herrn Friedrichs vorgeworfen, bei der du ja als Zeuge anwesend warst. Jetzt haben sich erdrückende Hinweise auf eine weitere Straftat ergeben. Da du sein bester Freund bist, möchten wir wissen, was du über den Brand in der Hausruine in Hilmarsum weißt.“

Die Hauptkommissarin beobachtete die Reaktion des Jungen bei diesem jähen Schuss vor den Bug.

Jonas erbleichte und begann zu zittern. Tränen traten ihm in die Augen. Mit dem Ärmel seines Sweatshirts wischte er sich die Nase. Dann schlug er die Hände vors Gesicht und schluchzte leise. So sehr der mächtige Fleischberg normalerweise nach einem übergewichtigen Erwachsenen aussah, brach das verletzliche Kind, das beharrlich in ihm schlummerte, nun mit aller Gewalt hervor.

„Du warst also mit von der Partie bei dieser Sache? Dann erleichtere doch gleich mal dein Gewissen und erzähle der Reihe nach, was dort passiert ist.“ Lina ging um den Tisch herum und schenkte Jonas ein Glas Cola ein, damit er überhaupt in die Lage versetzt wurde zu antworten.

Nachdem er das Glas gierig in sich hineingeschüttet hatte erhielt Lina eine umfangreiche, wenn auch von vielen Pausen unterbrochene, Schilderung des brutalen Verbrechens an der wohnungslosen Juliane Bakkermann. Das nackte Grauen erfüllte währenddessen den Verhörraum.

Jonas war ein glaubwürdiger Zeuge, der wahrscheinlich einer Befragung vor Gericht standhalten würde. Natürlich hatte sich der Junge durch sein Verschweigen der Taten auch mitschuldig gemacht. Bei der schweren Körperverletzung an Gotthilf Friedrichs musste ihm unterlassene Hilfeleistung vorgeworfen werden. Wenn sich die Tötung der Frau Bakkermann so abgespielt hatte, wie Jonas es schilderte, hatte er in dem Fall aber nichts verhindern können. Der böse Zufall hatte hier das ahnungslose Opfer und den perfiden jugendlichen Täter zusammengeführt. Seine detaillierte Zeugenaussage würde vom Jugendrichter sicherlich zu seinen Gunsten gewertet werden.

Lina Eichhorn war nach der Befragung genauso ausgelaugt wie zufrieden. Sie hatte Jonas nach einem längeren Telefonat mit dessen Mutter vorerst nach Hause bringen lassen. Es bestand kein begründeter Tatverdacht.

Der Sechzehnjährige erschien der Hauptkommissarin als eher minderbegabt und für einen typischen Mitläufer prädestiniert. Seine häuslichen Verhältnisse wirkten glücklicherweise geordnet. Fluchtgefahr war sehr unwahrscheinlich. Sie konnte sich für einen Moment wenigstens körperlich entspannt zurücklehnen, während sie die innerlich total verstörende Aussage noch einmal abhörte.

Bald würde Pantekook von der Hausdurchsuchung zurückkommen. Sie war ein wenig stolz, ihm so schnell eine belastbare Aussage von Jonas präsentieren zu können und neugierig auf die Reaktion des Kollegen. Außerdem brannte sie darauf, erste Ergebnisse der Durchsuchung bei Hackenbruchs zu erfahren.

32. Ehre den Toten

Das Schiff schaukelte leicht auf den sanften Wellen der Nordsee. Der Spätsommertag war ausnahmsweise von einer milden Freundlichkeit. Die Sonne ließ alle Farben leuchten. Einige Möwen taumelten vor dem mit Wattewölkchen betupften Himmelsblau, als ob sie sich in den vielen Spiegelungen verloren fühlten.

Lina Eichhorn stand an der Reling. Eine leichte Brise zauste ihre frisch gestylte Frisur. Während aus dem Lautsprecher zarte Klänge von Sibelius zu vernehmen waren, sog sie die klare salzige Nordseeluft tief in ihre Lungen. Es roch dezent nach Tang und Meeresfrüchten. Leicht fröstelnd knöpfte sie ihre Jacke zu und schlug den Kragen hoch.

„Ist es Ihnen zu frisch hier draußen? Wir können auch hinein gehen. Es gibt gleich noch einen kleinen Umtrunk", ließ sich Pantekooks besorgte Stimme neben ihr vernehmen. „Sie wissen ja, Oliver Grothe hatte lange genug Zeit sich auf sein Ableben vorzubereiten. Er hat alles detailgenau geplant. So war er nun einmal – immer korrekt bis ins Mark." Seine Stimme zitterte zum Schluss merklich, und er wischte sich verstohlen etwas Feuchtigkeit aus den Augenwinkeln.

„Danke, Andreas! Es geht schon. Ich möchte gern noch ein bisschen hier stehen und die anregende Nordseeluft genießen. Immerhin ist das für mich etwas besonderes. Es ehrt mich, dass ich an Herrn Grothes Seebestattung teilnehmen darf. Wo ist eigentlich Joe?"

Sie waren nur zu dritt auf dieser letzten Reise des ehemaligen Vorgesetzten. Natürlich befanden sich auch der Kapitän und die Besatzung an Bord des Schiffes, das an eine große Yacht erinnerte. Aber der Verstorbene hatte verbindlich verfügt, wer ihn zur letzten Ruhestätte begleiten sollte. Im Revier würde es später noch eine offizielle Gedenkfeier geben, an der Lina dann aber nicht mehr teilnehmen konnte, weil sie sofort nach Oldenburg zurück musste.

Nachdem sie Jonas belastende Aussage aufgenommen hatte, war sie schon am nächsten Tag aus Emden abgezogen und wieder an ihren ursprünglichen Arbeitsplatz zurückbeordert worden. Seitdem arbeitete sie in Oldenburg an einem höchst brisanten Fall von Bandenkriminalität, der ihren ganzen Einsatz verlangte. Sie hatte sich lediglich für Grothes Beisetzung einige Stunden frei genommen.

In diesem Augenblick kam auch Joe nach draußen. Er hatte mit dem Kapitän ein paar Worte gewechselt. Der freundliche Mann mit seiner stattlichen Uniform hatte, bevor die Urne sanft in die Wellen hinabgelassen wurde, sehr gefühlvolle Abschiedsworte für diesen emotionalen Anlass gefunden.

„Eine solche Beisetzung könnte ich mir auch für mich vorstellen“, murmelte Joe Kokker. Sein langes Haar flatterte frei im Wind, und sein Blick war in die Ferne gerichtet. Er wirkte auf Lina grotesker Weise keinen Tag älter als dreißig.

Pantekook legte ihm die Hand auf die Schulter und lächelte betulich. „Du hast doch noch jede Menge Zeit, mein Lieber. Mache dir mal keine trüben Gedanken, sondern genieße dein Leben. Genau das hätte Oliver uns geraten. Er liebte das Leben und ergötzte sich daran solange er konnte.“

„Der Käpten meinte, ich solle euch zum Umtrunk hereinbitten. Er muss ja den Zeitplan einhalten“, erklärte Joe, ohne auf Andreas Ausführungen einzugehen. Er warf Lina einen seiner unwiderstehlichen Blicke zu. Die Schiffsplanken schienen sich plötzlich unter ihr zu bewegen, als sei blitzartig ein schwerer Sturm aufgezogen. Sie war froh, dass die beiden Männer vor ihr durch die Tür gingen und klammerte sich vorsichtshalber für einen Augenblick an der Reling fest.

Drinnen war es warm und einladend. Durch die großen Glasscheiben konnten sie aufs Wasser blicken. Verschiedene Getränke und kleine appetitliche Häppchen standen für sie bereit. Sie nahmen an einem der Tische Platz, wo sie von einer angenehmen jungen Frau unaufdringlich bedient wurden.

Als sie wieder allein waren, fragte Lina die beiden Kollegen: „Wie ist es mit Jule weitergegangen? Ich wollte in den letzten zwei Wochen immer anrufen, aber in Oldenburg ist im Augenblick mal wieder die Hölle los."

Pantekook ergriff bereitwillig das Wort, während Joe nur leicht sinnend in sein Glas schaute: „Die Forensik hat ganze Arbeit geleistet. Die Tatwaffe wurde einwandfrei identifiziert, außerdem fanden sie den Ursprung der Wollfasern, die an Juliane Bakkermanns Kopf klebten. Das war übrigens die Decke, in die Sie die kleine Melissa gehüllt hatten, als wir sie in Hackenbruchs Haus fanden. Das Büschel Haare hatte der Bengel zwar gut versteckt, aber unsere Leute waren besser. Nun hilft dem guten Dr. Hackenbruch auch sein teurer Spitzenanwalt nicht die Bohne. Sein sauberer Sohn bleibt in U-Haft und wird angeklagt, obwohl er weiterhin schweigt wie ein Stockfisch."

„Ein junger Mensch mit soviel Gewaltpotential muss entweder eine furchtbare Kindheit erlebt haben oder leidet an einer schweren psychischen Störung", sinnierte Joe zwischen zwei Schlucken von dem exzellenten Rotwein.

„Wahrscheinlich etwas von beidem, wenn ich nur an den seltsamen Vater denke. Daniel ist ja ohne Mutter aufgewachsen. Das sind schon schlechte Voraussetzungen. Materiell ging es ihm aber überdurchschnittlich gut." Lina nippte an ihrer Rhabarber-Schorle. Sie hätte gern den Wein probiert, aber sie musste leider noch fahren. Stattdessen tat sie sich an den Häppchen gütlich. Sie würde schließlich aus Zeitmangel wieder auf eine anständige Mahlzeit verzichten müssen.

„Das werden die psychiatrischen Gutachter in dem Prozess bestimmt genauestens untersuchen. Aber nur wenn die etwas in dieser Richtung feststellen, wird diesem Daniel die Jugendhaft erspart bleiben. Dann würde er als gefährlicher Straftäter für sehr lange Zeit anderweitig weggesperrt, ob das dann angenehmer ist, frag ich mich wirklich." Andreas steckte sich ein Lachshäppchen ganz in den Mund und kaute genüsslich. Man merkte ihm noch immer die Genugtuung über die schnelle Aufklärung des Tötungsdeliktes an.

„Beatrice Teerhoff hat sich, nach Freigabe der sterblichen Überreste zur Bestattung, noch extra telefonisch bei uns bedankt. Sie wirkte trotz ihrer Trauer sehr gefasst auf mich und überaus dankbar, dass wir den Mörder ihrer kleinen Schwester Jule so schnell gefasst haben. Ich soll Ihnen, liebe Lina, ihre herzlichen Grüße ausrichten", berichtete Pantekook abschließend.

Als sie sich am Kai im Emder Außenhafen voneinander verabschiedeten, hatte Lina Eichhorn ihre Emotionen kaum im Griff. Beide Männer nahmen sie - trotz der offiziellen Abstandsempfehlungen - nacheinander herzlich in die Arme, und es fühlte sich so echt und richtig an, dass sie vor Rührung schlucken musste. Während sie Andreas gegenüber nur freundschaftliche Gefühle hegte, kam bei Joe das gewisse Kribbeln hinzu, was sie immer überfiel, wenn er sie zufällig berührte. Er drückte ihr dann auch noch einen ganz selbstverständlichen Kuss auf die Wange, was sie fast ins Stolpern brachte.

Später in ihrem Auto auf dem Weg zur Autobahn nach Oldenburg wusste sie selbst nicht mehr, wie sie den äußerst emotionalen Moment überstanden hatte, ohne dass es peinlich geworden war.

Sie hatte eine weitgehend freie Strecke vor sich und trat, nachdem die Geschwindigkeitsbegrenzungen endlich aufgehoben waren, tüchtig aufs Gaspedal. Der NDR 2 spielte leichte aktuelle Musik. Krampfhaft versuchte sie damit die eigenartige Trauer zu vertreiben, die sich ihrer bemächtigte und eine Sogwirkung in Richtung Küste zu entwickeln schien je weiter sie sich von Emden entfernte.

33. Epilog

Alle Personen in diesem Roman sind fiktiv und ihre Namen erfunden. Auch die Handlung ist selbstverständlich in dieser Form nie in der Realität abgelaufen.

Sämtliche Ortsangaben und -beschreibungen dienen lediglich als Kulisse für diese konstruierte Geschichte. Jegliche Ähnlichkeit mit lebenden Personen oder tatsächlichen Begebenheiten wäre rein zufällig und ist von der Autorin nicht beabsichtigt.

Der Roman setzt die Krimi-Reihe mit der Hauptkommissarin **Lina Eichhorn** in Ostfriesland fort.

Zu der Reihe gehören jetzt:

1. Die Frau des Quacksalbers
2. Die Deichhexe
3. Hundeverbot
4. Das Mädchen vom Sperrwerk
5. Schutzlose Räume

Zur Autorin

Marion Scheer wurde 1952 in Düsseldorf geboren. Im Anschluss an eine Banklehre und einige Jahre als Sachbearbeiterin bei einer Düsseldorfer Großbank, studierte sie Mathematik, Geografie und Geschichte auf Lehramt. Sie lebt und arbeitet seit fast vierzig Jahren an der ostfriesischen Nordseeküste und ist mehrfache Mutter und Oma. Solange sie schreiben kann, betreibt sie in ihrer Freizeit die Schriftstellerei. Dabei arbeitet sie gern tatsächliche Begebenheiten und Erlebnisse in ihre erfundenen Geschichten ein. Leider verhinderten mehrere schwere Schicksalsschläge, dass ihre Romane und Kurzgeschichten schon früher veröffentlicht wurden.

Heute lebt die Schriftstellerin mit ihrem jetzigen Ehemann zurückgezogen in der Nähe von Emden.

Kontakt: mascheer@gmx.net

Danksagung

Ich danke meinem lieben Mann für seine vielfältige Unterstützung und Geduld. Ohne ihn wäre es mir nicht möglich, mein zeitaufwendiges Hobby auszuüben.

Die vielen Menschen, die mehr oder weniger zufällig meinen Weg kreuzten, und bewusst oder unbewusst zahlreiche Anregungen zu meinen Geschichten lieferten, besitzen für immer einen speziellen Platz in meinem Herzen.

Ein besonderer Dank gilt meinen Leserinnen und Lesern, die meine Bücher fortwährend mittels ihrer eigenen Fantasie zum Leben erwecken.

Marion Scheer

Weitere in diesem Verlag
erschienene Bücher
von Marion Scheer:

Die Frau des Quacksalbers
(Ostfrieslandkrimi)

Die Deichhexe
(Ostfrieslandkrimi)

Hundeverbot
(Ostfrieslandkrimi)

Das Mädchen vom Sperrwerk
(Ostfrieslandkrimi)

Von Tieren und Menschen
(Geschichten)

Drachenliebe
(fantastische Geschichte)

Schmerzliebchen
(Frauenschicksal)

Von Mäusen, Mördern und Memoiren
(Roman)

Scherenschnitte
(Frauengeschichten)

Milton Keynes UK
Ingram Content Group UK Ltd.
UKHW010715280324
440307UK00004B/169

9 783758 388118